Jk Kerouac passing corner bar Avenue B & East 7th N.Y,
went out for a walk along Tompkins Park, september 1953.
Allen Ginsberg

Bob Donlon (Rob Donnelly, Kerouac's D
Robert LaVigne & poet harry Ferlinghette
Columbus, North Beach San Francisco
er, Neal looks good in teashirt, Howl fir
Peter orlovsky held Camera in the street, u

in Angels) Neal Cassady, myself — Peanter
at of City Lights Bookshop, Broadway &
Joalso worked seasonally Las Vegas wait-
ting hadn't arrived from England yet,
just hanging around.   Allen Ginsberg

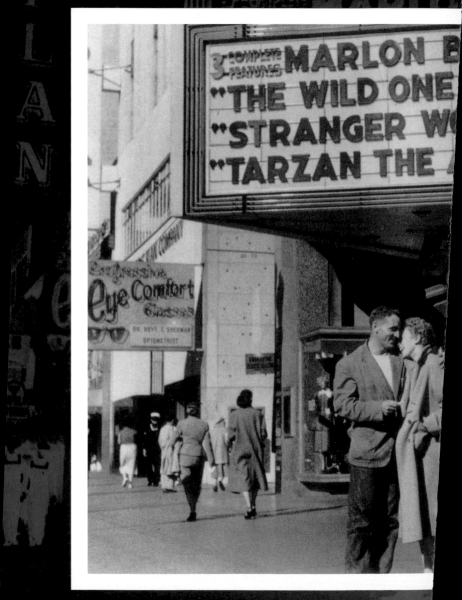

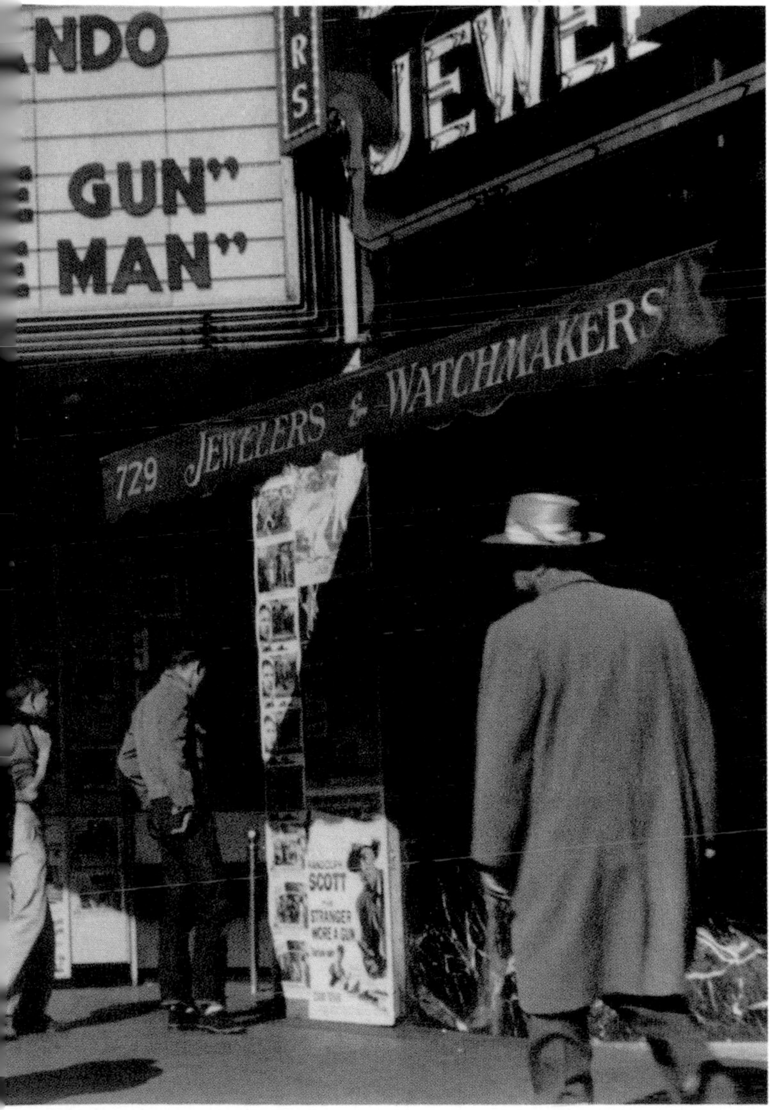
NDO
GUN"
MAN"
JEWEL
729 JEWELERS & WATCHMAKERS
SCOTT
STRANGER

A lain Dister est né
à Lyon en 1941.
Journaliste,
photographe, il est
l'auteur de nombreux
ouvrages sur le rock.
Ses photographies –
portraits et paysages –
sont exposées à travers
le monde dans les
galeries et les musées.
Le présent ouvrage
illustre un profond
intérêt pour les
écrivains de la Beat
Generation, qu'il
a rencontrés aux
Etats-Unis à la fin des
années 1960. Dans la
collection Découvertes,
il a consacré un volume
à l'histoire du rock
(*L'Age du rock*)
et un autre à la course
automobile (*Vivre vite*).

*A la mémoire de Régine
Feinstein, beat-girl.*

*Dépôt légal : octobre 1997
Numéro d'édition : 82504
ISBN : 2-07-053420-0
Imprimé en Italie par
Editoriale Libraria*

LA BEAT GENERATION
LA RÉVOLUTION HALLUCINÉE

Alain Dister

DÉCOUVERTES GALLIMARD
LITTÉRATURE

«Jack Kerouac aimait l'Amérique et il aimait sa mère et il aimait les enfants de l'Amérique. Il écoutait leur musique. Il avait une mémoire prodigieuse. En quelques mots profonds et poétiques, il pouvait exprimer, encore et encore, sa propre réalité – être là, partir, revisiter les rêves de la nuit et du jour. Il voulait qu'on le lise, qu'on se souvienne de lui. Terrassé par son succès, il est mort *On the Road*. Il était mon ami.»

Robert Frank

CHAPITRE PREMIER
SUR LA ROUTE

Kerouac a vingt-huit ans lorsqu'il pose pour l'objectif d'Elliot Erwitt (à gauche). Il vient de publier son premier roman, *The Town and the City*, dans un style classique et, pressé de passer à un autre genre, tape jour et nuit sur un long rouleau le manuscrit de *Sur la route*.

Fils d'ouvrier immigré québécois

La petite maison de bois à deux étages, au 9 Lupine Road, ne porte aucune de ces plaques indiquant le passage d'un homme célèbre. C'est pourtant là qu'est né, le 12 mars 1922, Jean Louis Lebris de Kerouac, dernier fils de Leo Alcide Kerouac et de Gabrielle Ange Levesque, appelée «Mémère» par le voisinage. Les gamins qui jouent dans ce quartier ouvrier de Lowell, Massachusetts, ignorent tout de Jack Kerouac. C'est à peine si les patineurs en *rollerblades* et les vieilles dames habituées du square de la mairie prêtent attention à son nom au bas des pages de marbre sur lesquelles sont gravées des phrases de *Sur la route* et de ses autres livres – monument qu'enfin l'on s'est décidé à élever à l'enfant du pays. Lowell vit replié sur son passé industriel. Les filatures ont fermé, et l'imprimerie où travaillait Leo Alcide a été dévastée, il y a longtemps, par une des violentes inondations de la rivière Merrimack.

Il ne reste plus grand-chose de cet îlot de francophonie dû aux hasards de l'immigration. Là-bas, comme dans d'autres petites villes des

L'univers romanesque de Kerouac se nourrit des lieux traversés, des personnages rencontrés. Dans les pages de *Duluoz*, on reconnaît les élèves de son école, parmi lesquels il pose ci-dessus en 1938. Tandis que le nom du *Paradise Diner* de Lowell a pu inspirer celui du narrateur de *Sur la route*.

Home of the 'Delicious'
Boott Mill Sandwich

BOOTH
SERVICE

Paradise Diner

Etats du Massachusetts, du New Hampshire, du Vermont et de New York, des Québécois sont venus naguère s'installer pour profiter des emplois offerts par les industries du tissage et du papier. On les appelle des *coon-ass* – des «culs de ratons laveurs» – ou bien des *canucks*. Ti-Jean, comme l'ont surnommé sa famille et ses copains, doit souvent se battre contre ceux qui le traitent de *coon-ass*. Solidement charpenté, sportif et beau garçon, il éprouve une plus grande attirance pour le football américain que pour les cours d'anglais. Il est résolument francophone, comme toute la communauté canadienne de Pawtucketville, le faubourg de Lowell où s'est installée la famille Kerouac.

«Ti-Jean» a grandi en suivant les pérégrinations de ses parents à travers Lowell, sans jamais avoir le temps de s'attacher à un quartier. Il avait déjà oublié sa maison natale

Du bourg vers la ville : le premier voyage

La quiétude de ces gens «ben ordinaires» est troublée par quelques drames familiaux. Gerard, son frère aîné, meurt subitement à l'âge de neuf ans. Jack en a alors quatre. L'événement va le marquer durablement. Quand Leo perd son emploi, à la suite de la crue dévastatrice de la Merrimack, Jack est presque en âge d'aller au collège préparatoire à l'université. Une bourse lui est alors accordée pour payer ses études. Non parce qu'il est bon élève, mais parce qu'il constitue une excellente recrue pour l'équipe de football. A seize ans, il est admis à la prestigieuse université Columbia de New York. Il devra auparavant effectuer une année préparatoire à l'école de garçons Horace Mann, dans le Bronx. A l'automne 1938, il part pour la grande cité, laissant derrière lui la petite ville de son enfance.

de Lupine Road (ci-dessus) lorsque sa famille décida de s'installer à Pawtucketville, un faubourg habité en majorité par la petite communauté francophone de *canucks* employés aux filatures.

Et des amis, des amours, qui deviendront, sous sa plume, les héros des premières pages de *The Town and the City*, son premier roman. Servi par une mémoire très vive – on le surnomme aussi «*Memory Babe*» –, il est capable de reconstituer scènes et dialogues, des années plus tard, conférant à ses personnages une aura, une présence, qui vont bien au-delà de ce que fut leur réalité. En exaltant ses contemporains les plus simples, Kerouac, déjà, cultive son propre mythe.

Le lyrisme autobiographique, l'exaltation des personnages secondaires et la vision du paysage américain dans l'œuvre de Thomas Wolfe (ci-dessus) ont laissé leurs empreintes dans les premiers écrits de Kerouac.

La littérature entre tôt dans sa vie : «A l'âge de onze ans, j'écrivais des petits romans sur des carnets à trois sous. [...] Le premier "sérieux" *[les guillemets sont de Kerouac]* travail d'écriture prit place après que j'ai lu Jack London, vers l'âge de dix-sept ans. Comme Jack, je collais de "longs mots" *[idem]* sur le mur de ma chambre, afin de parfaitement les mémoriser. A dix-huit ans, je lisais Hemingway et Saroyan et me mis à écrire de petites histoires dans ce style général. Puis je lus Tom Wolfe et adoptai un style plus roulant. Puis je lus Joyce et écrivis une œuvre juvénile à la manière d'*Ulysse*, appelée *Vanity of Duluoz*. Puis vint Dostoïevski. Finalement, j'entrai dans une phase romantique avec Rimbaud et Blake» (*Heaven and Other Poems*).

Parmi ces influences littéraires, celle de Thomas Wolfe a été retenue par les critiques de 1950 pour juger *The Town and the City*; sans doute l'œuvre de cet écrivain américain, mort en 1938, a-t-elle conforté Jack Kerouac dans sa manière toute particulière de se mettre en scène dans un monde où chaque personnage prend la dimension d'un héros de légende.

Footballeur cassé, marin d'occasion, poète maudit

Lorsqu'il entre à l'université Columbia, au nord-est de Manhattan, Jack est happé par l'univers urbain, fasciné par sa suractivité, sa trépidation, son énergie,

sa voracité. Ses exploits sportifs en font une star qui retient l'attention, au moins dans les milieux étudiants. Aussi, lorsqu'il se casse une jambe, au début de la saison 1940-1941, et qu'il doit renoncer au football, la déception est grande pour tout le monde.

Ses anciens camarades de Lowell, devenus ouvriers, iront jusqu'à lui reprocher de s'en être servi comme prétexte pour abandonner une honnête et glorieuse carrière de footballeur professionnel au profit d'une activité un peu louche d'écrivain, ou pis, de poète.

Désorienté, il quitte l'université et survit de petits boulots. Lorsque la guerre éclate, il s'engage dans la marine marchande. Troublé, désargenté, ne sachant guère où établir son port d'attache, il ne trouve un réconfort, passager, qu'auprès de Mémère...

L'université Columbia (ci-dessous) a toutes les raisons de fasciner un jeune étudiant entiché de littérature. C'est un des hauts lieux de pensée incontournables dans toute carrière intellectuelle américaine. Kerouac y découvre la dimension d'un monde qui lui manquait dans sa lointaine province; un monde où l'on parle moins de football que de nouveaux romans, où l'on se cherche, au fil de discussions passionnées, dans l'écriture des aînés tels Hemingway (à gauche).

A New York, il se fait des amis parmi les jeunes gens désenchantés qui cherchent à oublier la guerre. Lucien Carr, un de ces *hipsters* («branchés») qui fréquentent les bars de Greenwich Village, le présente en 1944 à un jeune poète homosexuel, Allen Ginsberg. Une photographie datant de la même année montre un quatuor d'étudiants, devant un bâtiment de l'université Columbia. Trois d'entre eux vont devenir célèbres : William Burroughs, Allen Ginsberg, et Jack Kerouac. Le rôle du quatrième, Hal Chase, n'est pas mince. C'est grâce à lui que Kerouac va rencontrer, deux ans plus tard, le héros de *Sur la route*, Neal Cassady. Le noyau originel de ce qui va constituer la Beat Generation vient de se former.

Des étudiants pas très sages

Leur vie à New York évoque celle des existentialistes des caves de Saint-Germain-des-Prés à la même époque. D'ailleurs, les filles ressemblent curieusement à Juliette Gréco, tandis que les garçons ont l'air de sortir d'un film français : une bande de jeunes gens en attente, brûlant la chandelle par les deux bouts, essayant de trouver un sens à leur vie en défiant les tabous de la société. Celui de l'homosexualité provoque déjà un drame parmi eux.

Refusant de céder aux avances d'un ami, Lucien Carr le tue dans des circonstances troubles. Panique? acte gratuit? ou sacrificiel, à la demande de la victime? Kerouac, au courant du meurtre, est accusé de non-dénonciation. Il échappe à la prison grâce à une jeune fille lettrée, Edith («Edie») Parker, dont la famille règle la caution en échange d'une promesse de mariage. L'union ne tiendra que deux mois, mais Kerouac remboursera les 5000 dollars jusqu'au dernier cent. C'est en faisant des allers et retours entre la résidence des Parker dans le Michigan et son groupe d'amis à New York qu'il connaît ses premières émotions sur la route.

Lucien Carr (ci-contre, à droite) éblouit Jack Kerouac et tous ses amis. Il est l'incarnation du cool, ce mélange de suffisance, de détachement et d'individualisme qui deviendra bientôt le signe caractéristique de la génération beatnik. En ce début des années quarante, Carr est un modèle pour la bohème qui hante les cafés de Greenwich Village. Kerouac le rencontre grâce à Edie Parker, qui l'héberge ainsi que sa compagne. Entre les deux hommes s'établit un sentiment de rivalité, autant que d'amitié. Carr étale ses connaissances en littérature, assène des jugements et proclame sa volonté d'écrire. Kerouac, le provincial, est impressionné par l'arrogance de ce citadin régnant sur une cour d'auditeurs. Son rôle n'en demeure pas moins considérable : autour de lui gravitent déjà les principaux acteurs du mouvement beat. C'est par son entremise que Kerouac, Burroughs et Ginsberg se rencontreront. On les voit en compagnie de Hal Chase, à l'université Columbia, sur la photo en page de gauche.

L'insouciance de la vie new-yorkaise tranche avec le puritanisme laborieux du reste du pays. Plutôt que le travail et la crainte de Dieu, la fébrilité intellectuelle et la soif de sensations nouvelles sont les valeurs de Greenwich Village. Lucien Carr, personnage plus charismatique que réellement productif, séduit par sa beauté canaille et son discours libertaire.

Son principal interlocuteur est un fils d'industriel en rupture de ban, William Seward Burroughs, héritier du fabricant de machines comptables. Il perçoit une rente de 200 dollars par mois, assortie à une condition : qu'il consulte régulièrement un psychiatre. Elégant et distancié, avide d'expériences, il est fasciné par les drogués, les voyous, les criminels. Il a renoncé à une vie de petit-bourgeois tranquille à Saint Louis, dans le Missouri, pour venir ici à New York traîner avec des gens peu recommandables. Cela même le rend sympathique aux yeux de Ginsberg et de Kerouac, fascinés à leur tour par le dandysme trouble du futur «parrain» de la Beat Generation.

Herbert Huncke a été décrit par Burroughs sous les traits de Herman dans *Junkie*. Il est également Elmo Hassel dans *Sur la route*.

«Man, I'm beat»

En 1944, Burroughs rencontre celui qui va l'initier à la drogue : Herbert Huncke. C'est un petit voleur, un *junkie* («drogué»), prostitué occasionnel dans les bars de la 42e Rue. Pour le petit groupe d'amis, c'est un héros, qui vit des expériences fortes, des aventures authentiques, un vrai rebelle. Huncke parle, comme tous les drogués, le langage de la rue, hérité des dealers de Harlem. Quand il est en manque, ou fauché, ou les deux, il a cette expression : *«man, I'm beat»* («mec, j'suis foutu»). C'est ainsi que le mot va pénétrer les petits cercles d'initiés gravitant autour de Greenwich Village et de l'université Columbia. Auprès de Huncke, Burroughs, qui tâte un peu des amphétamines, se met à la morphine et bientôt à l'héroïne. La drogue, thème central de son œuvre, vient d'entrer dans sa vie. Ginsberg, qui partage sa chambre (et son lit), ne tarde pas à user lui-même de ces substances, «utiles, affirme-t-il dans *The Paris Review*, pour explorer la perception, diverses possibilités, divers états de conscience, divers types de petites sensations».

Comment ne pas songer à Rimbaud, et son apologie du «dérèglement de tous les sens»...

Allen Ginsberg est le fils d'un poète et d'une mère militante communiste, tôt enfermée dans un hôpital psychiatrique. Elle meurt lorsque Allen a trente ans. Il composera pour elle l'un des ses plus beaux poèmes, *Kaddish*, référence à la prière pour les morts dans les communautés juives. L'écriture de Ginsberg est inspirée par les vers libres d'e. e. Cummings, et surtout par l'œuvre du poète romantique anglais William Blake, dont il se sent le fils spirituel. Il se déclare ouvert à toutes les sensations, toutes les extases. Homosexuel, il porte sa marginalité comme un étendard, revendique son exclusion de la société, en tant que «poète, juif, pédé, drogué, et communiste». La violence de son discours masque pourtant une tendresse et un sens profond de l'amitié, perceptibles aussi bien dans son œuvre que dans sa vie. Doué d'un solide sens des relations publiques, Allen aidera toujours ses amis de la Beat Generation à se faire publier, insistant auprès des éditeurs, vantant les qualités des œuvres, associant les autres à ses propres succès. Grâce à lui, William Burroughs publiera ses

Pour le poète beat, les apparences sont illusoires; il peut être tout autant marqué par William Blake

(ci-dessus), grand auteur classique, que par Herbert Huncke (en haut, à gauche), prostitué, habitué des trottoirs de la 42e Rue à New York (ci-dessous).

deux premiers romans autobiographiques, *Junkie* et *Queer*. Ses encouragements aideront Kerouac à revoir le manuscrit de *Sur la route* pour enfin trouver un éditeur, sept ans après l'avoir écrit...

L'invention d'un mythe

D'autres personnages s'intéressent à ces jeunes gens prometteurs. Un journaliste-écrivain, critique littéraire à ses heures, les fréquente assidûment. John Clellon Holmes connaît bien Jack Kerouac. Ils passent des nuits en discussions enfiévrées, sous l'influence de l'alcool et de la benzédrine. Il écrira d'ailleurs un roman consacré à ces rencontres : *Go*. Un soir de 1948, Kerouac laisse échapper un mot pour tenter de définir leur groupe d'amis : «Beat Generation». Mais pas dans le sens où l'entendent Huncke et Burroughs, de «laminée», «battue d'avance», «cassée», comme le mot s'est aujourd'hui répandu. Plutôt, selon

«L'essence des mots ''Beat Generation'' peut être trouvée dans cette phrase célèbre : ''tout m'appartient car je suis pauvre''», écrit Allen Ginsberg dans un essai publié dans *Friction* en 1982. Il souligne ainsi l'esprit de renoncement propre aux beats. Sitôt défini «officiellement» dans l'article du *New York Times* de John Clellon Holmes en novembre 1952, le mouvement est rapidement devenu, pour beaucoup de gens, une attitude à la mode plutôt qu'un réel engagement personnel.

THIS IS THE BEAT GE

Kerouac lui-même, dans «un sens religieux... *Beat* veut dire ''béate'', pas ''battue''.

by John Clellon Holmes

New York Times Magazine, **November 16, 1**

Vous le sentez. Vous le sentez dans la pulsation, dans le jazz – le jazz vraiment cool ou un morceau de rock viscéral». Clellon Holmes retient le terme, et l'officialise dans un article publié par le *New York Times* le 16 novembre 1952. Il ne parle déjà plus d'un groupe de poètes et d'écrivains, mais applique la définition à une attitude. Un mouvement est né.

Il fallut souvent les interventions de Kerouac et de Ginsberg pour lui redonner un sens et rappeler, par exemple, son opposition au complexe militaro-industriel, sa conscience écologique, en même temps que sa volonté de jouissance et d'émancipation totale.

Aux prises avec le maccarthysme

La Beat Generation détonne – bruyamment parfois – dans le contexte social et politique de l'Amérique d'après-guerre. Le citoyen modèle, que tout jeune beat refuse de devenir, est pétri de conformisme, menant une vie terne, balisée jusqu'à la retraite. Des millions d'Américains ne poursuivent alors d'autre ambition que de se terrer dans un pavillon de banlieue identique à celui du voisin, en prenant garde de ne pas attirer l'attention sur eux. Le puritanisme s'est fait l'allié du consumérisme, et toute critique du système est perçue comme une dangereuse subversion, voire, dans le cadre de la guerre froide, une manœuvre ennemie. En 1950, le sénateur McCarthy lance sa croisade anticommuniste. On ouvre des listes noires, on organise la chasse aux sorcières. Tout acte déviant, toute tenue provocante, toute pensée originale – voire la culture elle-même – sont assimilés à des activités «antiaméricaines».

Le 9 février 1950, le sénateur républicain du Wisconsin Joseph McCarthy (ci-contre) affirme dans un discours que des communistes se sont infiltrés dans le gouvernement. Ancien marine, McCarthy ne fait pas dans la nuance. Même la CIA craint ses rodomontades (caricature ci-dessous). Il s'attaque à toutes les institutions

On ne peut dès lors qu'admirer le culot d'un Ginsberg se déclarant ouvertement «communiste et pédé».

La peur atomique, née de la propagande et de la guerre froide, pèse autant sur la société que la paranoïa maccarthyste. De quoi se sentir beat : à quoi bon en effet se battre, réussir à tout prix, si l'on doit disparaître demain dans un holocauste nucléaire? Alors, on se replie sur la littérature, et l'on explore d'autres territoires : si le monde extérieur est devenu infréquentable, pourquoi ne pas se tourner vers l'intérieur, comme tant d'autres poètes avant eux – Shelley, Artaud, Rimbaud, Yeats, Pound, E. E. Cummings –, revendiqués par les Beats comme autant de modèles, aussi bien pour leurs existences fracassées que pour leur approche radicale, révolutionnaire, extatique, du langage poétique?

soupçonnées tour à tour d'être «gangrenées» par les «rouges». Pour débusquer ces derniers il crée une «Commission des Activités Antiaméricaines». Les intellectuels sont les premiers visés, en particulier les beats dont le comportement semble échapper aux normes édictées par une société très conservatrice.

RATION

Journal

Journal-Bulletin News on WPJB
6:30, 7, 7:30, 8 and 8:55 a.m.
12:30, 2, 4, 5, 6, 11 and 11:55 p.m.

16, 1953

A Visit to the China Shop

KEEP VERY QUIET AND MAYBE HE'LL GO AWAY —

CENTRAL INTELLIGENCE AGENCY

ALLEN DULLES

McCARTHY

Neal Cassady, modèle exemplaire

Sa recherche d'une forme d'écriture libérée de tout académisme conduit Jack Kerouac à s'intéresser dès 1946 à la correspondance qu'entretient Hal Chase avec un jeune repris de justice embastillé à Denver, Colorado, Neal Cassady, tombé pour une histoire de vol de voiture et multirécidiviste dans cette spécialité. Les lettres qu'il fait parvenir à Chase sont écrites dans un style haletant, sans ponctuation, un premier jet en direct des tripes et de l'âme. Kerouac y voit la confirmation de son credo littéraire, selon lequel la première impulsion est toujours la meilleure. « La découverte de mon propre style fondé sur le caractère spontané de l'improvisation, écrit-il dans *Heaven*, m'est apparue après avoir lu les merveilleuses lettres librement narratives de Neal Cassady. »

Kerouac est enthousiasmé par Cassady. Leur rencontre – dont le récit occupe les premiers paragraphes de *Sur la route* – a lieu juste après la mort de Leo Alcide, le père de Jack. En cette année 1946, Kerouac traverse ainsi deux expériences qui vont déterminer le reste de son existence. Mourant, son père lui a fait jurer de toujours s'occuper de Mémère. En même temps, il se sent violemment attiré par le grand large, la route, les courses interminables à travers le continent. Sa vie va devenir une longue succession de fuites à l'autre bout de l'Amérique et de retours chez Mémère, autant pour rester fidèle à sa promesse que parce qu'il n'arrive à s'établir nulle part ailleurs.

Briser les tabous sexuels

Neal Cassady est en fait davantage attiré par Allen Ginsberg, dont il devient très vite l'amant. Il a connu

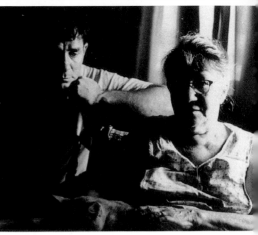

Gabrielle Levesque (ci-dessus en 1966 aux côtés de son fils Jack) n'a jamais oublié ses origines québécoises. Elle parle français avec son mari et ses trois enfants et pratique avec ferveur la religion catholique. En ce sens, l'éducation qu'elle donne à Ti-Jean va l'influencer durablement. Après la disparition de son frère Gerard, Jack, en proie à de terribles cauchemars, vient souvent se réfugier dans le lit de Mémère. Ses amis Ginsberg et Burroughs ne manqueront pas par la suite de se moquer gentiment de lui sur ce point. C'est avec elle, en Floride, qu'il passera l'essentiel des dix dernières années de sa vie.

les maisons de correction pour garçons, ses amours discrètes, ses viols. Il est bisexuel. Il aime Ginsberg. Et Ginsberg est fou de lui. Comme Kerouac, il décèle chez Cassady un talent de narrateur spontané qui donne à ses phrases un rythme naturel proche de la scansion (beat) du jazz. Mais Neal est trop préoccupé par sa vie sexuelle débordante et son goût pour la vitesse sous toutes ses formes (*speed*, «vitesse», est le nom argotique des amphétamines) pour prendre le temps de s'asseoir et composer une œuvre littéraire : son seul recueil, *The First Third – Le Premier Tiers* – est en partie constitué de ses fameuses lettres adressées à ses amis new-yorkais.

Un jour de l'année 1952, Carolyn, la compagne de Cassady, prend avec tendresse cette photo souvenir de Neal Cassady (à gauche) et Jack Kerouac (à droite). La vie de la famille Cassady, à San Francisco, n'est pas toujours facile. L'argent est rare, et Carolyn doit se débrouiller avec le peu que gagne Neal en travaillant comme serre-frein dans une compagnie de chemins de fer, où Jack est employé aussi, de temps à autre.

Les amours de Cassady et Ginsberg sont le prétexte à de nombreux voyages à Denver, avant l'inévitable et douloureuse séparation. Allen tente d'oublier Neal en voyageant en Afrique et en Europe, laissant Cassady «rejoindre ses six mille fiancées sur la côte ouest».

Kerouac, lui, se mêle d'assez loin à ces jeux qu'en bon catholique il désapprouve. D'ailleurs, sa vie sentimentale est plutôt du type monogame successif, alternant mariages ratés et concubinages forcément mal vus par Mémère. Lorsqu'il rencontre Neal Cassady, il vient de divorcer de sa première épouse, Edie Parker. Il est libre, et trouve quelques consolations auprès des copines de Neal Cassady. LuAnne, surtout, la Marylou délurée de *Sur la route*, que Neal pousse dans ses bras, malgré l'embarras de Jack. Plus tard, à San Francisco, c'est un véritable ménage à trois qui se forme avec Carolyn, la deuxième compagne de Cassady. Jack tape à la machine au grenier, tandis que Neal, Carolyn et leur petite fille occupent le reste de la maison. Mais lorsque Neal part travailler aux chemins de fer – un boulot que Jack exercera peu de temps avec lui –, il recommande à son ami de bien s'occuper de sa femme. Est-elle consciente qu'à travers elle se poursuit une relation amoureuse non dite entre Kerouac et Cassady? Cette histoire, emblématique du désir de libération sexuelle dans la Beat Generation, a fait l'objet d'un roman écrit par Carolyn Cassady, *Off the Road*.

Le grand départ

La route, Jack Kerouac l'a pratiquée bien avant de rencontrer Neal Cassady. Il a voulu la connaître, un peu par romantisme, mais aussi faute d'argent pour être en mesure de voyager en simple touriste. Il a «fait du pouce» – de l'auto-stop –, comme disent les Québécois, entre New York et Boston pour rejoindre Mémère, entre New York et Grosse Pointe, Michigan, pour aller voir Edie Parker, entre New York et Denver pour retrouver Cassady et Ginsberg. Il a découvert la vérité du macadam : la fatigue, l'inconfort, l'ennui, le froid, la pluie, le danger. Il a pris, aussi, la mesure du territoire américain, son immensité, sa monotonie, sa grandeur parfois, et sa beauté. Il a senti qu'au-delà de la Cité commence un monde inconnu, où tout reste à découvrir, à commencer par lui-même. Aussi, lorsque Cassady lui propose de l'embarquer dans l'une de ses folles chevauchées transcontinentales, il accepte sans hésitation. Mais d'abord, Neal lui sert de chauffeur pour aller voir Mémère – qui l'accueille fraîchement : les amis de Jack n'ont jamais vraiment plu à la vieille dame, qui marmonne contre ces bons à rien en serrant son rosaire dans son tablier brun.

❝ En un rien de temps, on fut de nouveau sur la grand'route... à cent dix miles à l'heure, une route rectiligne, des villes endormies, pas de circulation, et la locomotive fuselée de l'Union Pacific disparaissant derrière nous au clair de lune. Je n'avais pas peur du tout cette nuit là; c'était la chose la plus naturelle du monde que de rouler à cent dix et de discuter et de voir toutes les villes débouler comme dans un rêve tandis qu'on fonçait en avant et qu'on discutait. **❞**

Sur la route

Emportés dans leur dérive, Neal et Jack laissent souvent derrière eux Carolyn (à gauche avec Jack, qui tient sur ses genoux Cathy Cassady).

L'Amérique le pied au plancher

L'aventure commence en 1949, lorsque Neal vient chercher Jack chez sa sœur Nin, en Caroline-du-Nord. Cassady vient d'engloutir toutes les économies de son ménage dans l'achat d'une Hudson dernier modèle – la plus grosse routière de l'époque, un monstre ventru, un vrai paquebot roulant. A bord, il y a LuAnne, Jack, et Neal, qui ne lâche jamais le volant. La nuit, on dort dans la voiture parce que personne n'a de quoi payer l'hôtel – Jack sur le siège avant, le couple Cassady à l'arrière. Les banquettes sont moelleuses, leur velours doux à la peau, l'intérieur sent bon. La machine est silencieuse, même lancée à plein régime : Cassady ignore les limitations de vitesse et bloque le compteur à 110 miles à l'heure (176 km/h). « Neal au paradis : une voiture et une fille », écrit Ginsberg au bas d'une de ses photos. Cependant, l'automobile n'apparaît jamais en tant qu'objet fétiche dans l'œuvre de Kerouac. A peine la devine-t-on, de manière subliminale, derrière les envolées lyriques sur le paysage américain, alors qu'elle s'impose, en détails d'une précision maniaque, dans les lettres adressées plus tard par Cassady à Ken Kesey.

Gavé de benzédrine (*bennies*), comme les chauffeurs de poids lourds qui traversent alors le continent, Neal bat des records d'une côte à l'autre. Aller de New York à San Francisco lui prend trois jours et trois nuits, à parler sans arrêt, à boire dru,

« Ah mon pote, quel bateau de rêve, soupira Dean. Imagine si toi et moi, nous avions une auto comme ça, ce que nous pourrions faire... Oui ! Toi et moi Sal, on savourerait le monde entier avec une voiture comme ça, parce que, mon pote, la route doit en fin de compte mener dans le monde entier » (*Sur la route*). En fait, quelques équipées transcontinentales de Jack et Neal auront lieu à bord de cette superbe Hudson Commodore de 1949. D'autres se feront au volant de tacots en fin de parcours, rafistolés par l'as de la mécanique qu'a toujours été Neal Cassady.

A cette époque, l'Ouest américain n'est pas encore équipé d'autoroutes, et rouler à 176 km/h sur *une two lane black top* (une petite route à deux voies) constitue un danger réel dont Neal semble en permanence inconscient.

à avaler des *bennies*. De temps à autre, rarement, l'on s'arrête pour se repaître, au bord du Mississippi, de «l'odeur crue du corps même de l'Amérique», pour communier dans les Grandes Plaines avec l'esprit des Indiens. Immigré, naguère parqué dans son ghetto francophone au cœur du pays anglo, Kerouac se sent solidaire des pauvres bougres des réserves. Il sait que ce territoire est à eux, que l'homme blanc le leur a volé. Ce sera sans doute son seul engagement politico-social, mais il marquera la génération suivante.

"Le visage rude opiniâtre de Dean était toujours penché sur le tableau de bord, anguleux, en proie à son intime dessein – A quoi penses-tu, papa? – Ah-ah, ah-ah, toujours à la même chose, t'sais, aux filles, aux filles, aux filles."

Sur la route

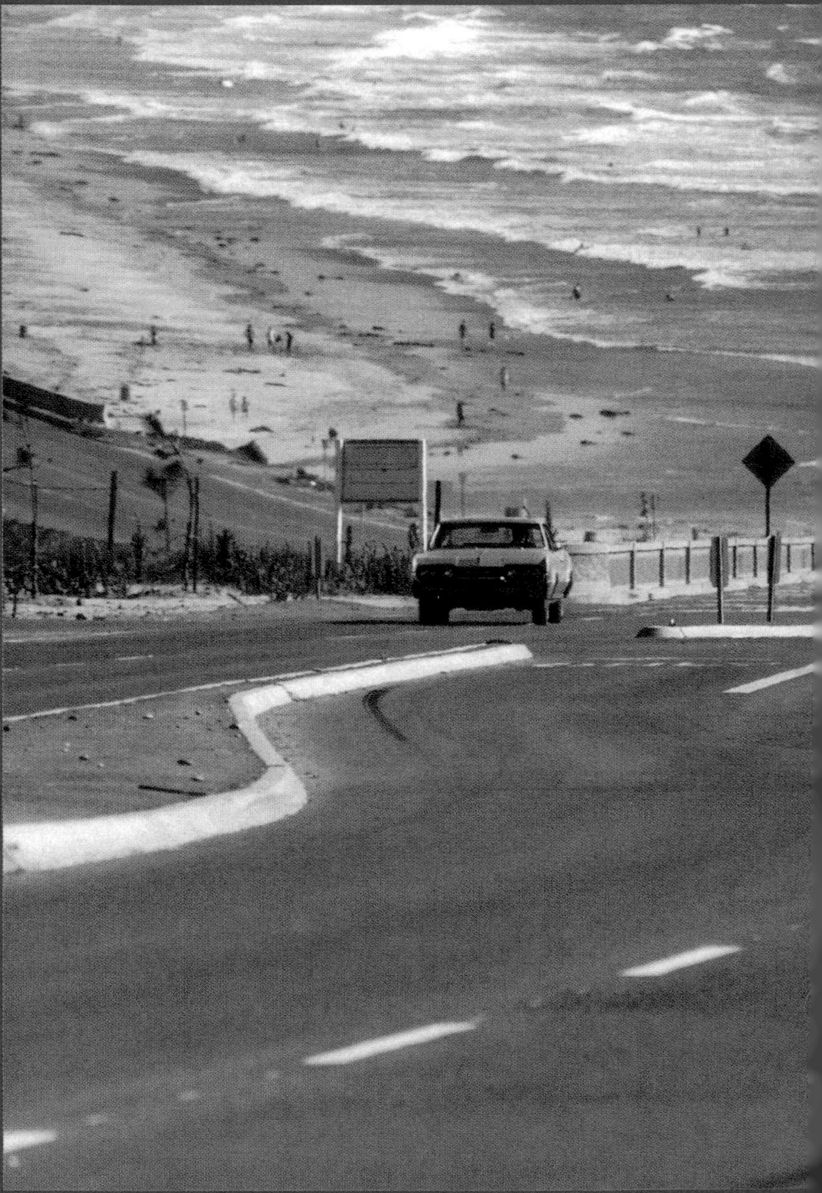

Un morceau de littérature be-bop

Lorsqu'il s'attaque en 1951, après des tentatives étalées sur plusieurs années, à la rédaction définitive de *Sur la route*, Jack Kerouac n'a qu'une idée en tête : retrouver ce flot naturel, spontané, ce fameux premier jet qu'il admire tant chez Cassady. Pour éviter toute rupture dans le flux de l'inspiration, il décide de taper son manuscrit sur un rouleau continu de 40 mètres. Il travaille vite, sous amphétamines; tape durant trois semaines, se laisse prendre au cliquetis de la machine comme à un *razzmatazz* de batterie, s'accorde au beat de la frappe, en rythme avec un jazz intérieur – la grande musique des mots, le swing des syllabes, le jazz des phrases – le beat, la pulsion même du roman.

Le film tourné en 1980 par John Byrum, *Heart Beat* (ci-dessous), traduit bien l'atmosphère enfiévrée de la rédaction de *Sur la route*. Kerouac, joué par John Heard, relit des scénarios pour la Twentieth-Century Fox. L'argent qu'il gagne lui permet d'écrire son roman.

On the Road

Explosive epic of the Beat Generation

Jack Kerouac est un fils d'ouvrier, un *«blue collar»*, fidèle à ses origines dans ses chemises de bûcheron et ses gros souliers. Il se rattache davantage à une tradition folk du voyage américain, comme celle du Woody Guthrie de *Bound for Glory – En route pour la gloire –*, précurseur de l'épopée transcontinentale de *On the Road*, ou d'un écrivain engagé comme Jack London qu'à un courant littéraire éduqué, voire mondain comme celui d'Hemingway ou de Truman Capote. L'establishment littéraire, qui a accueilli en 1950 *The Town and the City* avec quelques égards (évocation de Thomas Wolfe oblige), est beaucoup plus réticent à l'égard de *Sur la route*. Et Kerouac devra attendre 1957 pour le voir enfin publié. Non sans avoir donné des pseudonymes à tous ses personnages, afin d'éviter d'éventuels problèmes juridiques : Neal Cassady devient Dean Moriarty – à cause d'une lointaine origine irlandaise –, Allen Ginsberg est Carlo Marx, William Burroughs, Old Bull Lee, et Kerouac lui-même, Sal Paradise.

Le refus initial des éditeurs ne saurait faire plier sa volonté, son avidité d'écrire, d'être reconnu, aussi, comme écrivain. Les notes et les essais parallèles rédigés durant la gestation de *Sur la route* vont alors fournir la matière d'un flot ininterrompu de manuscrits – une véritable littérature be-bop, syncopée comme le jazz de Charlie Parker, nerveuse comme un thème de Thelonious Monk : *The Dharma Bums* (*Les Clochards célestes*, 1958), sur son bref passage à Berkeley (avec Mémère...), sa rencontre avec Gary Snyder (Japhy Ryder dans le livre), son voyage au Mexique. *Book of Dreams* (1952-1960), relation des rêves qui fournissent la matière de l'écriture, *Visions of Cody* (1951-1952), *Doctor Sax* (1952), *The Subterraneans* (1953), *Maggie Cassidy* (1953), *Visions of Gerard* (1956), *Desolation Angels* (1956)... tous, bien entendu, publiés après la sortie – et le succès – de *Sur la route*, entre 1958 et 1966.

Lorsque Jack Kerouac envoie la première mouture du manuscrit de *Sur la route* à Allen Ginsberg, ce dernier trouve l'ensemble trop décousu et conseille vivement à son ami d'y apporter de nombreuses retouches. William Burroughs ne partage pas cet avis. Dans une lettre adressée à Ginsberg, le 30 mai 1953, il écrit : « Si quelqu'un est prêt à publier *Sur la route*, il devrait sauter sur l'occasion comme une carpe affamée. »

L'un de ces plus beaux livres reste *Mexico City Blues* (écrit en 1955, publié en 1959), inspiré par les *Cantos* d'Ezra Pound. A propos de cette «poésie à risque», il écrit : «Je veux être considéré comme un poète-jazzman soufflant un long blues au cours d'une après-midi de jam-session, un dimanche. Je prends 242 chorus; mes idées varient et roulent quelquefois de chorus en chorus, ou bien à mi-chemin d'un chorus, jusqu'à mi-chemin du suivant.»

«Sur la route» en édition bon marché

En avril 1957, Kerouac, toujours incertain quant à la publication de son roman, part pour Tanger avec ses amis de la première heure, Allen Ginsberg et son nouvel amant Peter Orlovsky, et William Burroughs.

Pour celui-ci, il tape de longs passages du *Festin nu*. Belle occasion de rester enfermé : il déteste la foule grouillante de la médina, se sent comme un martien dans cette terre lointaine. De retour à New York, une bonne nouvelle l'attend : grâce à la persévérance d'un critique, Malcolm Cowley, directeur de collection chez Viking Press, qui suit le livre depuis 1953, *Sur la route* va enfin être imprimé. Il sort début septembre 1957 – modestement, sous forme de *pulp*, en édition bon marché, dotée d'une couverture dessinée dans le goût dramatisant de l'époque, comme le seront tous ses ouvrages suivants.

Kerouac n'avait jamais quitté l'Amérique. Aussi, la découverte du Maghreb en 1957 est-elle pour lui un véritable choc. A la compagnie de ses amis (ci-dessus sur la plage avec Peter Orlovsky à gauche et William Burroughs couché sur le sable), il préfère les petits cafés arabes du port de Tanger.

« **D**ans tous nos souvenirs, personne ne s'était jamais exprimé aussi franchement en poésie. Nous avions atteint un point de non-retour. Et nous étions prêts à cela. Aucun d'entre nous ne souhaitait retourner au silence gris, glacé, militariste, au vide intellectuel, au territoire sans poésie, à la spiritualité terne. [...] Nous voulions une voix, nous voulions une vision. »

Michael McClure

CHAPITRE II
LES BEATNIKS

Allen Ginsberg, Gregory Corso (ci-contre dans Washington Square à New York, en 1957) et Lawrence Ferlinghetti (ci-dessous en 1968) ont tous donné un souffle à la Beat Generation.

Sur la route n'est pas le seul manifeste de la Beat Generation. Les deux autres piliers du mouvement, Allen Ginsberg et William Burroughs, ont aussi écrit des chefs-d'œuvre – *Howl* pour le premier, *Le Festin nu* pour le second. La première lecture publique de *Howl* a lieu le 13 octobre 1955 à la Six Gallery de San Francisco. Allen Ginsberg a vingt-neuf ans. Jack Kerouac est dans la salle et ponctue les vers de

La diction de Ginsberg évoque celle d'un chanteur, lorsqu'il lance les fameuses strophes de son long poème *Howl* : «J'ai vu les plus grands esprits de ma génération détruits par la folie, Theatre (ci-dessous, Allen Ginsberg).

Ginsberg de «*Yeah!*», «*Go!*», comme s'il s'agissait d'un solo de batterie ou d'un chorus de saxophone. Un critique acerbe épingle le lendemain ce «Carrewac» qui a troublé la lecture. *Howl* est une révolution, autant dans son texte que pour la diction de Ginsberg. La poésie résonne ici encore avec le jazz be-bop : on pense à Charlie Parker, à Dizzy Gillespie. On cherchera, au hasard des strophes, les références, souvent explicites, aux amis, Kerouac, Burroughs, Corso, Huncke, Cassady... La préface est écrite par William Carlos Williams, ce qui constitue une sorte d'adoubement.

Howl est surtout dédié à Carl Solomon, que Ginsberg a connu durant son bref internement dans un hôpital psychiatrique en 1946. Pour Christine

Sa diction évoque celle d'un chanteur, lorsqu'il lance les fameuses strophes de son long poème *Howl* : «J'ai vu les plus grands esprits de ma génération détruits par la folie, affamés hystériques nus, se traînant à l'aube dans les rues nègres à la recherche d'une furieuse piqûre, initiés à tête d'ange brûlant pour la liaison céleste ancienne avec la dynamo étoilée dans la mécanique nocturne.»

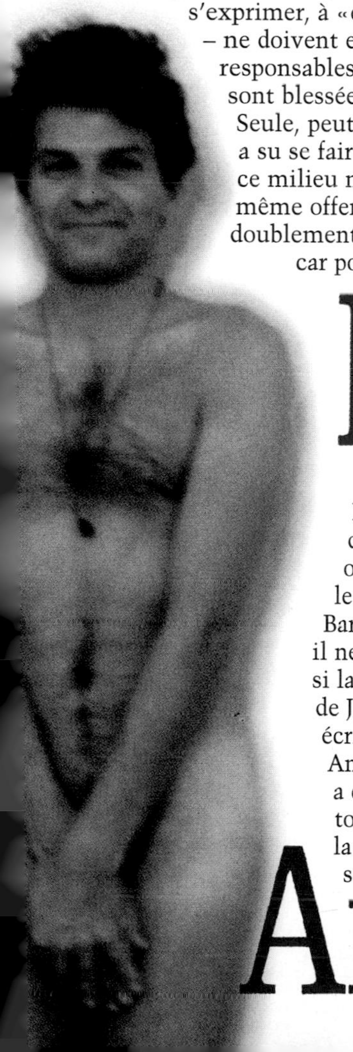

Elegiac

Joyce Johnson, Carolyn Cassady – ont traversé les mêmes enfers que leurs amants, sans que l'histoire, ni la littérature ne leur en ait rendu justice. Mais ni Ginsberg, ni Burroughs, ni Kerouac – qui les ont toujours encouragées à s'exprimer, à «entrer en littérature» – ne doivent en être tenus responsables. «Toutes les femmes sont blessées», écrit Gary Snyder. Seule, peut-être, Diane Di Prima a su se faire reconnaître dans ce milieu masculin. Elle s'est même offert le luxe d'être doublement subversive, car poétesse et compagne

Dans l'Amérique puritaine des années cinquante, la nudité, surtout masculine, est considérée comme obscène. A l'encontre de cette attitude, Allen Ginsberg, photographié ci-contre avec Gregory Corso, n'aura de cesse de célébrer, tout au long de sa vie, la sainteté du corps.

Feelings

de l'écrivain noir LeRoi Jones, chantre de la négritude, qui optera par la suite pour le nom africain d'Amiri Baraka. Par ailleurs, il ne faut pas s'étonner si la meilleure biographie de Jack Kerouac a été écrite par une femme, Ann Charters, qui a compris, plus que tout autre, la fragilité, la tendresse, la solitude de Ti-Jean.

Il ira même jusqu'à ôter ses vêtements lors d'une lecture publique pour répondre à un auditeur qui lui demande ce qu'il veut dire par «nu». Jack Kerouac, à la mémoire duquel Corso a dédié son long poème *Sentiments élégiaques américains*, sera toujours, comme d'ailleurs William Burroughs, plus réservé et pudique dans son expression corporelle.

American

« Les mots sont certainement associés au son comme la couleur est associée à la lumière. [...] Je regrette que les écrivains ne sachent pas quels sont leurs moyens – et jusqu'à ce qu'ils le sachent, ils ne pourront guère rattraper la peinture. »

William S. Burroughs

CHAPITRE III

LA RÉVOLUTION HALLUCINÉE

L'influence de Burroughs (à gauche) dépasse largement le cadre de la littérature. Au fil des décennies, son héritage a tour à tour été revendiqué par des plasticiens, des musiciens et des poètes. Ces derniers puisèrent dans les pages du *Festin nu* la matière d'une réflexion et de pratiques artistiques, inspirées notamment par sa technique du montage et du collage.

La Beat Generation s'inscrit dans un vaste mouvement général d'émancipation, amorcé durant la Seconde Guerre mondiale et culminant dans les années soixante. Toutes les formes de libération sont envisagées, dans un «assaut total contre la culture» (Ed Sanders), soit en actions séparées soit dans la fusion de genres différents. Libération du geste, avec Jackson Pollock et l'*action painting*, de la forme avec les *happenings* d'Allan Kaprow et Al Hansen, du verbe avec les poètes beat, des tabous – sexuels, sociaux, raciaux –, du temps musical dans le be-bop, puis le free jazz. Les disciplines artistiques elles-mêmes s'émancipent de leurs frontières, de leurs étiquettes traditionnelles, et lancent de nombreuses passerelles entre elles.

Le refus des étiquettes

Les Beats ne se définissent pas comme des écrivains, des poètes ou des peintres, mais comme des esprits libres ayant tous les droits. Surtout celui d'une

Précurseur du pop-art, Larry Rivers pose (ci-dessous, à gauche) avec une admiratrice en 1963 devant la toile qu'il a réalisée pour l'affiche du premier Festival du film de New York. Bien qu'il refuse d'être assimilé à une avant-garde, sa collaboration avec le poète Frank O'Hara – dont il est aussi l'amant – s'inscrit dans un mouvement où se développe l'idée d'interactivité entre les disciplines artistiques.

existence multiple, avec ses apparentes contradictions. Dans la sphère beat, on peut être à la fois peintre, photographe et écrivain… Et bien sûr établir des collaborations entre artistes de différentes disciplines. Michael McClure soutient ainsi que l'art de Pollock est déterminant pour sa propre œuvre poétique – dont une partie lui est consacrée. Frank O'Hara écrit en résonance avec les peintures de son ami Larry Rivers. Les collages de Robert Rauschenberg évoquent les montages *cut-up* de Burroughs et Gysin. Pour

Jackson Pollock (ci-dessus) demeure une figure centrale de la Beat Generation, même s'il n'en accepta jamais l'étiquette, qu'il jugeait trop réductrice. Les poètes beat sont impressionnés par sa démarche, dans laquelle ils trouvent un flux d'énergie essentiel, difficile à capter avec les mots. Le rythme des lignes, des tracés aléatoires, inspire la scansion du verbe. Un dialogue peut alors s'établir.

sa part, Kerouac, qui dessine un peu, maintient que dans tout acte créateur doit s'inscrire le canon beat de la spontanéité du geste, de la valeur du premier jet – toujours le meilleur. Au nom de ce canon, il soutient qu'il est meilleur peintre que Franz Kline, pourtant très libre dans son geste. Bien que proches de la Beat Generation, de nombreux artistes refusent cependant l'étiquette beat, même si leur discours s'apparente à celui, poétique désincarné, des ténors du mouvement. Pour eux, l'idée de non-appartenance doit demeurer la plus importante, certains n'hésitant pas à sacrifier leur œuvre dès lors qu'on aura tenté de la définir, de la classer dans un genre.

Le jazz au cœur

Autant que la peinture, le jazz demeure constamment présent au cœur de la Beat Generation. « It's a Be-At, le beat [tempo] à garder, le beat [battement] du cœur », écrit ainsi Jack Kerouac, qui enregistre une série de haïkus bluesy avec les saxophonistes Al Cohn et Zoot Sims. Dans *Sur la route*, il compare le pianiste et chef d'orchestre George Shearing à Dieu. Les jazzmen Louis Armstrong, Slim Gaillard, Lester Young, Thelonious Monk, Dizzy Gillespie, Hot Lips Page, Miles Davis n'y sont pas affublés de pseudonymes comme les héros : ils existent comme tels, avec leur musique, bande-son qui accompagne le texte. Pour Charlie Parker, Kerouac écrit des poèmes : « Charlie Parker ! prie pour moi. Prie pour moi et pour tout le monde, au fond des nirvanas de ton cerveau, où tu te caches, indulgent, énorme, plus du tout Charlie Parker, mais indicible secret, valeur incommensurable, vers le haut, le bas, l'est ou l'ouest. Charlie Parker, écarte la peste, écarte-la de moi, et de tout le monde. »

Dans la troisième partie de *Sur la route*, Kerouac se fait historien et résume la saga du jazz à sa manière, elliptique, imagée, emportée. Plus tard, dans *The Early History of Bop*, il en offre une version plus poétique : « Le bop s'est mêlé au jazz lorsqu'une après-midi, quelque part sur un trottoir en 1939 ou 1940, Dizzy Gillespie ou Charlie Parker ou Thelonious Monk

JACK KEROUAC BLUES

A u printemps 1958, Kerouac s'enferme dans un studio avec les saxophonistes Al Cohn et Zoot Sims pour enregistrer une série de courts poèmes

sont passés devant un magasin de vêtements sur la 42ᵉ Rue ou South Main à Los Angeles et ont entendu soudain dans un haut-parleur une erreur possible, dingue, dans un morceau de jazz. Cela n'a pu se passer que dans leur imagination. Et voilà : un nouvel art, le Bop. Le nom provient d'un accident. »

sur le mode des haïkus japonais. L'album, produit par Bob Thiele, est un document unique qui permet d'apprécier la forte voix de l'écrivain et son dialogue instinctif avec les musiciens de jazz.

«Cool» : une manière d'être

Les jazzmen n'acceptent guère qu'on les range sous un label, fût-il «Beat Generation». Ils revendiquent en revanche un terme couramment employé par celle-ci : *«cool»* – même si l'exubérance d'un Kerouac ou d'un Cassady n'est pas précisément du domaine de la retenue, de la froideur affectée. Sans doute faut-il y voir davantage une attitude mentale, un «semi-détachement», et non cette méprisante indifférence au monde colportée par des légions de snobs.

Combien de poètes beat n'ont-ils pas souhaité collaborer un jour avec ces géants du style cool qu'étaient Miles Davis,

Dans le jazz, la figure dominante demeure Miles Davis dont l'album *Birth of the Cool* (1950) popularise le mot, tout en exposant un style que l'on va retrouver dans toutes les manifestations des Beats. Durant les années cinquante, on voit des musiciens se produire avec des peintres, dans une relation rythmique où les artistes des deux disciplines travaillent en symbiose. D'autres jouent durant les lectures de poésies, dans les cafés de la bohème new-yorkaise et californienne. Le saxo baryton Gerry Mulligan est le musicien cool

Lee Konitz et Gerry Mulligan (ci-dessus, de gauche à droite). Au fil des années, free jazz et poésie trouveront à leur tour un terrain d'entente, dans les *coffee houses* et les *happenings*, ainsi que dans les maisons de disques *underground* comme ESP (Extra-Sensory-Perception), où l'on verra Ginsberg et les Fugs côtoyer Pharoah Sanders.

archétypal au même titre que ses amis Chet Baker, Al Cohn, Zoot Sims ou Bob Brookmeyer. Il est invité à tenir en 1960 l'un des principaux rôles dans la version cinématographique des *Subterraneans* de Jack Kerouac. Le film, de qualité moyenne, reste un grand pourvoyeur de poncifs beat : belles filles libérées (pour l'époque), jazz, cigarettes, bourbon, dérives paresseuses...

La part du Living Theatre

Le Living Theatre, créé par Julian Beck et Judith Malina à New York en 1951, est tout de suite devenu un lieu ouvert aux expériences poétiques, picturales, chorégraphiques et musicales autant qu'à une approche nouvelle d'un art dramatique engagé. On y joue Brecht et García Lorca. On y voit Merce Cunningham et ses danseurs affronter, entièrement nus, un public encore conditionné par la morale puritaine. On y écoute LeRoi Jones et Diane Di Prima

Les fondateurs du Living Theatre furent des catalyseurs d'énergie au cœur de la scène beat. En effet, Judith Malina et Julian Beck (ci-dessous) mirent en place les structures qui permirent à de nombreux artistes de s'exprimer à leurs débuts. Leurs prises de position leur ont souvent valu de violents démêlés avec la police, ce qui ne les détourna jamais pour autant de leur engagement.

en lectures croisées de leurs poèmes, John Cage jouant avec le hasard, ou Charlie Mingus accompagnant une lecture par Kenneth Patchen. Le Living Theatre catalyse ainsi les énergies bouillonnantes d'une génération d'artistes dispersés dans toutes les disciplines. Son action est exemplaire de cette volonté de provoquer les rencontres entre toutes les formes d'expression, telle qu'elle s'est manifestée depuis la fin des années quarante, mais à moindre échelle, dans quelques galeries et cafés.

Ce rôle d'indispensable foyer de création sera plus tard repris à New York par le Mercer Arts Center et l'église Saint-Marks-on-the-Bowery.

Quant à la troupe du Living Theatre, elle viendra en France en 1967 présenter une version moderne d'*Antigone*, apologie de la désobéissance civile. Un an plus tard, au festival d'Avignon, ce sera le choc de *Paradise Now*, véritable révolution dans l'art théâtral, empruntant sa dynamique à l'*action painting*, son sens de l'improvisation au free jazz, son engagement poétique aux amis Ginsberg, Ferlinghetti et LeRoi Jones, et ses grands thèmes utopistes aux hippies de San Francisco.

En se produisant sur les planches du Living Theatre, Merce Cunningham (ci-dessus) ne se contente pas de provoquer l'establishment. Avec son ami John Cage, il remet en cause les fondements mêmes d'un art traditionnel, dans le but d'explorer de nouveaux territoires.

Le cinéma, colporteur d'attitudes

Nouvelle manière de regarder, surtout de travailler, le cinéma *underground* («souterrain», «clandestin») se développe à partir de 1955 sous l'impulsion de Jonas Mekas, qui réunit vingt-trois réalisateurs indépendants – parmi lesquels Robert Frank et Shirley Clarke. Leur volonté de s'affranchir des diktats hollywoodiens comme de la censure puritaine apparaît dans un manifeste signé «The New American Cinema Group». Ils refusent dorénavant «l'entremise des producteurs, des distributeurs et des investisseurs tant que l'œuvre n'est pas prête à être projetée» et se prononcent en faveur de films à petit budget. Quelques-uns sont encore considérés comme des chefs-d'œuvre du cinéma contemporain, tels que *Shadows* de John Cassavetes (1958), *The Connection*, avec le saxophoniste Jackie McLean, de Shirley Clarke (1961) – reprise de l'une des premières pièces montées par le Living Theatre –, ou *Scorpio Rising* de Kenneth Anger (1963). La même année, Andy Warhol réalise ses premiers films, utilisant comme acteurs des membres de la scène poétique affiliés à la Beat Generation, John Giorno, Gérard Malanga, Taylor Mead. Allen Ginsberg lui-même visite fréquemment la Factory de l'artiste pop.

En affirmant que le cinéma est un moyen d'expression personnelle, et non le produit d'une industrie, les réalisateurs *underground* se placent dans le champ exploratoire cher à la Beat Generation. Ils se distinguent ainsi nettement des productions «grand public» visant à faire de la vie chez les beatniks un thème racoleur. La «beatexploitation» bat alors son plein, avec ses contingents de filles aguicheuses (strip-tease obligatoire, mais décent), de pervers drogués (ça ne dépasse guère le stade du joint) et de paresseux congénitaux. *Les Tricheurs* de Marcel Carné (1958) illustrent cette tendance, malgré l'excellente bande-son de Gerry Mulligan... On leur préférera *A bout de souffle* de Jean-Luc Godard (1960), où Jean-Paul Belmondo et Jean Seberg campent des personnages désabusés, des «anges de la désolation» à la recherche d'eux-mêmes, de vrais beats en somme.

Le film *The Connection*, mis en scène par Shirley Clarke, est un autre exemple du dialogue entre les disciplines artistiques pratiquées par la Beat Generation. Film dans le film – il raconte un tournage où la réalisatrice devient elle-même le sujet du film –, il est adapté d'une pièce de théâtre de Jack Gelber qui sera aussi montée par le Living Theatre à ses débuts. Le saxophoniste Jackie McLean est à la fois acteur et compositeur de la bande originale du film. Le thème – des junkies en attente de la livraison de leur drogue – relève à la fois de la fiction et du documentaire. L'œuvre deviendra un classique du cinéma *underground* new-yorkais des années soixante. Moins marginaux, mais très inspirés par le thème beat de la quête de soi à travers l'errance, la dérive transcontinentale, les *road movies* vont créer un nouveau type de héros : le perdant magnifique, comme les deux motards fusillés au bout de la route dans *Easy Rider* de Dennis Hopper (page suivante), les brûleurs d'asphalte de *Two Lane Blacktop* de Monte Hellman (page 60) et le héros de *Paris Texas* de Wim Wenders (page 61).

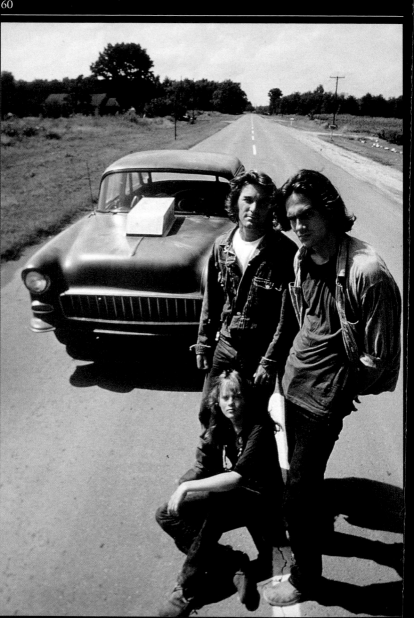

L'ami photographe

Dès lors qu'il s'agit de se mettre en scène, les anciens de la Beat Generation préfèrent s'en remettre à l'un de leurs pairs. Le photographe Robert Frank réalise en 1959 dans l'appartement d'Alfred Leslie, et avec la collaboration de celui-ci, le film-manifeste *Pull my Daisy*. On y retrouve ses amis Allen Ginsberg, Peter Orlovsky et Gregory Corso, improvisant «au naturel». Jack Kerouac, auteur du commentaire en voix *off*, se plaint du manque de spontanéité de la production : il a dû s'y reprendre pour lire son texte. Le film, présenté comme un premier jet semi-amateur, sans retouches, a en fait été produit selon les normes classiques du cinéma, avec des éclairages calculés, plusieurs prises, et un important travail de montage. Sa fraîcheur tient à la forte présence de ses acteurs non professionnels, à leur volonté d'apparaître tels quels, sans fioritures ni jeu artificiel.

Malgré sa petite déception, Kerouac professe une admiration sincère envers Frank.

À propos du film *Pull my Daisy* (ci-dessous), de Robert Frank et Alfred Leslie, Jonas Mekas, qui fut à l'origine du cinéma *underground*, note «sa modernité, sa sincérité, son humilité, son imagination et son humour. [...] Il respire ce sentiment d'immédiat dont le cinéma aujourd'hui a besoin pour exister en tant que manifestation vivante de l'art contemporain». Le titre du film, repris d'un poème spontané écrit par Kerouac et Ginsberg, est plein de sous-entendus érotiques : l'expression *«pull my daisy»* suggère le dernier acte du strip-tease avant la nudité complète. Le jazz est encore présent avec la chanteuse Anita Ellis et le swing de la voix de Kerouac.

LES AMÉRICAINS

Photographies de Robert Frank

Dans la préface de l'édition en langue anglaise des *Américains* (1959), il écrit : «Robert Frank, suisse, discret, gentil, avec ce petit appareil photographique qu'il fait surgir et claquer d'une main, a su tirer du cœur de l'Amérique un vrai poème de tristesse et le mettre en pellicule, et maintenant il prend rang parmi les poètes tragiques de ce monde.» Tout juste immigré aux Etats-Unis, Frank a traversé le pays d'est en ouest en 1955, à la manière de Kerouac et Cassady, enregistrant un journal photographique où se mêlent une observation subjective de la réalité extérieure et des détails autobiographiques inscrits dans le paysage, comme cette image de sa femme et de son fils, endormis dans la voiture, au bord d'une route rectiligne. Le résultat de ce travail est toutefois mal perçu par les éditeurs new-yorkais : Frank offre une vision pessimiste, désenchantée de l'Amérique. Le portrait qu'il en dresse révèle des violences sourdes, des voix étouffées, des solitudes tragiques, dans un pays vide de sens où la route, dans

La première édition des *Américains* de Robert Frank (ci-dessus photographié par René Buri) fut imprimée en héliogravure, avec une couverture signée Saul Steinberg. Si la descendance spirituelle de Frank est aujourd'hui aussi nombreuse que celle de Kerouac, il fut en son temps l'un des seuls photographes à comprendre la Beat Generation et à s'y intégrer.

le temps
et dans l'espace,
demeure la seule
réalité tangible.
C'est Robert
Delpire, un
Français, qui
publiera la toute
première version
des *Américains*,
un livre qui a,
depuis, marqué
le travail de
nombreux
photographes
des deux côtés
de l'Atlantique.

Les beatniks à Paris

La France occupe d'ailleurs une place
à part dans l'univers beat. L'éditeur
Maurice Girodias est le premier à
publier, chez Olympia Press, des
auteurs jugés trop sulfureux aux
Etats-Unis. Après avoir longtemps
soutenu Henry Miller, dont les
étudiants venaient à Paris acheter les
œuvres pour ensuite les faire circuler
chez eux sous le manteau, il sort en
1959 la version originale du *Festin nu*
de William Burroughs. Dans l'hôtel
du 9 rue Gît-le-Cœur, à Paris, où
Corso et Ginsberg avaient résidé
avant de rejoindre le Maroc en 1957,
Burroughs se livre à ses premiers *cut-
up* en compagnie de Brion Gysin.

Le seul à ne pas vraiment goûter
les charmes de la France est encore
Kerouac. Parti à la recherche de ses
ancêtres bretons, dans une démarche
zen de retour aux sources pour
parvenir au *satori*, à l'illumination,
il a été le témoin, lors de son passage

à Paris, d'une caricature de scène beat : beaucoup de poses, peu d'authenticité chez les beatniks de la place de la Contrescarpe, *Chez Popov* rue de la Huchette et au square du Vert-Galant. «S'ils se sentent si cool *[ici, «frileux»]*, pourquoi ne passent-ils pas une petite laine *[wool]*?» ironise Vivian Stanshall, du Bonzo Dog Doodah Band.

S'il y eut jamais un esprit beat en France, il faut le chercher du côté des amis et traducteurs des poètes américains tels Claude Pélieu, Mary Beach et Jean-Jacques Lebel. Ce dernier est l'auteur d'une *Anthologie de la Beat Generation*, qui a largement contribué à faire connaître ce mouvement ici. Aujourd'hui encore, Lebel maintient vivante la tradition des actions multimédias – lectures de poésies, musique, performances – au cours des soirées Polyphonix, au musée d'Art moderne de Paris.

Dans les années soixante, la scène beatnik parisienne (à gauche) relève souvent davantage de la pose que d'un réel engagement moral artistique et philosophique. Mais, à cette époque, la diffusion des œuvres beat était restreinte.

Les soirées Polyphonix permettent au public français d'aller à la rencontre des acteurs de la Beat Generation comme Allen Ginsberg sur le programme ci-dessus. La photo de gauche, prise sur le toit du Centre Georges-Pompidou montre Burroughs avec, à sa gauche, John Giorno et Diane di Prima, et à sa droite, Bernard Heidsick et Michael McClure ainsi que (assis, de gauche à droite) Linton Kwesi Johnson, Robert Cordier et Jean-Jacques Lebel.

S ous les yeux émerveillés, et parfois incrédules, des vieux beatniks, la foule des hippies se met à revendiquer, de San Francisco à Woodstock, les idées, les valeurs de la Beat Generation. Les révoltés des années cinquante ont cédé la place aux utopistes et aux révolutionnaires.

CHAPITRE IV

LES HÉRITIERS
DE LA BEAT GENERATION

L e mode de vie des premiers beats inspire les jeunes des années soixante, notamment leur refus des modèles bourgeois. Les hippies succèdent aux beatniks et manifestent un plus grand engagement pacifiste et écologique. A gauche, manifestation contre la guerre du Viêt-nam.

L'arrivée au pouvoir de John Fitzgerald Kennedy, en 1961, suscite un nouvel espoir qui rend – provisoirement – obsolète une vision pessimiste du monde. Le Free Speech Movement, parti du campus de Berkeley la

même année, radicalise des étudiants évoluant du désespoir romantique beat au militantisme pacifiste. Le *protest-song* de Joan Baez, Bob Dylan, Phil Ochs, remplace les lectures de poésies dans les *coffee-houses*. La scène artistique évolue en un pop-art installé dans les galeries, tandis

DOES LSI

SPOIL THE TASTE OF COFFEE?

que les expériences multimédias des Beats font place à celles du mouvement Fluxus, défini, par George Maciunas et Dick Higgins, comme «international, expérimental, éphémère, joueur et appelé à résoudre la contradiction entre l'art et la vie». Certains y voient une sorte de fin officielle de la Beat Generation, et d'autres sa mutation. En fait, la Beat Generation s'est engagée depuis la fin des années cinquante dans un processus de dilution dans le paysage culturel urbain américain. Son langage, ses attitudes ont fini par imprégner des artistes de tous bords, ainsi que leur public. Petit à petit, le système a assimilé ceux qu'hier encore il condamnait, exécutant sans pitié les vrais rebelles à toute récupération.

Le bout de la route

Les Beats originaux ont eux-mêmes changé. Désabusé, Kerouac sombre dans l'alcool et se réfugie de plus en plus souvent chez Mémère, en Floride. Burroughs survit, grâce à quelque alchimie secrète de tous les cocktails létaux qu'il a ingurgités depuis 1944.

Lorsque John F. Kennedy est nommé à la présidence des Etats-Unis en janvier 1961 (ci-dessus), le pays semble prêt à assimiler l'avant-garde intellectuelle et artistique. Cette période d'ouverture est brutalement interrompue par le début de la guerre du Viêt-nam et l'assassinat du président en 1963. Censure et répression reprennent le dessus. Mais le mouvement est lancé. La volonté de libération des poètes et artistes beat dépasse alors largement les cercles universitaires. C'est toute la jeunesse américaine qui veut désormais sortir du système.

Neal Cassady rejoint sur la route, en 1964, les Merry Pranksters de Ken Kesey, ces protohippies colportant l'*electric kool aid acid test* dans tout l'ouest du pays. Il conduit un de leurs bus chamarrés, écouteurs sur les oreilles, retrouvant peut-être un sens à ces divagations continentales du temps de son amitié avec Kerouac. Il est aussi attiré par les filles, et l'abondance des drogues psychotropes. On le voit à Millbrook en compagnie de Timothy Leary, s'initiant au LSD. Il devient un mythe vivant, palpable, le témoin-acteur de la première grande aventure de cette intense période de libération. Mais la route s'achève tragiquement pour lui et de manière presque prévisible : au bord d'une voie ferrée, quelque part au Mexique en 1968, Neal Cassady est retrouvé mort de froid après une ultime défonce.

Allen Ginsberg note, en légende de la photo ci-dessous, que Neal Cassady (à droite) a conduit le bus des Merry Pranksters d'une traite de San Francisco à New York pour retrouver Timothy Leary (à gauche), «pionnier de la recherche psychédélique». Dans l'esprit des hippies, cette rencontre symbolise le lien entre les héros-modèles de la génération précédente, décrits dans les romans de Kerouac, et les aventuriers de l'espace intérieur, adeptes des premières expériences au LSD.

IN SUGAR CUBES

Allen Ginsberg est sans doute le seul à épouser la transition du mouvement beat à l'ère hippie. Il redécouvre l'engagement politique vers lequel son père et sa mère avaient tenté de le pousser vingt ans auparavant. Il se joint aux manifestations contre la guerre au Viêt-nam, plus enclin toutefois à agiter des cymbales et réciter des mantras appris en Inde qu'à hurler des slogans. On l'aperçoit dans les premiers rassemblements du mouvement hippie (les «*human be-in*») aux côtés de Gary Snyder et de Timothy Leary.

William Burroughs, quant à lui, préfère s'abstenir : il se moque sans doute éperdument du naturalisme des disciples de Thoreau, et s'en tient à sa critique neuronale du système. Un système qui n'en finit pas de régler violemment ses comptes avec ceux qui osent défier ses lois. Lenny Bruce, chansonnier, agitateur à l'humour féroce, est éreinté par la censure : une vingtaine de procès pour langage obscène ont eu raison de sa résistance. Il meurt en 1965 d'une overdose.

La légalisation de la marijuana est l'un des chevaux de bataille de Ginsberg, qui prêche ci contre à Hyde Park à Londres.

Lenny Bruce (ci-dessous), appréhendé en 1961 après une représentation au *Jazz Workshop*, une boîte de nuit du quartier de North Beach. Le motif de son arrestation est l'usage abusif de mots «anglo-saxons à quatre lettres jugés obscènes». Ce n'est ni la première ni la dernière fois…

Des beatniks aux hippies

Les anciens beatniks se politisent dans les manifestations contre la guerre au Viêt-nam. Des poètes proches de la Beat Generation créent des formations musico-théâtrales pour diffuser la nouvelle contestation, comme les Fugs – Ed Sanders, Tuli Kupferberg et Ken Weaver – à New York. Mais c'est surtout à San Francisco, dans le quartier du Haight Ashbury, que se manifeste une véritable contre-culture, mettant en pratique les idéaux beat de non-violence, d'amour libre et de création spontanée. Les «hippies», qui s'installent dès 1964 dans le quartier, ont conservé un certain nombre d'attitudes beatniks comme le refus du confort, la pauvreté revendiquée, rappelant ainsi le sens «battu d'avance» associé au terme «beat», tandis que libération sexuelle, expérience psychédélique et compassion bouddhiste évoquent

Dans la foule des manifestants pacifistes (ci-dessus, manifestation contre la guerre du Viêt-nam), on retrouve souvent ceux qui, dix ans plus tôt, affrontaient la censure maccarthyste. La société est devenu plus permissive, plus extravagante dans son apparence, mais les vieux problèmes demeurent : guerre, morale puritaine, racisme…

plutôt la béatitude. Cependant,
à la différence des Beats originaux
qui demeurent de farouches
individualistes, les hippies prônent
la fusion de l'ego dans le groupe.
Rares sont les vétérans beat qui
adoptent – tel Hugh Romney –
le mode de vie communautaire
façonné par les hippies. L'héritage
spirituel de la Beat Generation
demeure quant à lui très vivant
durant les années soixante. Alan
Watts professe, dans l'esprit zen de
Sur la route, la nécessité de
l'errance. «On y va. – Mais où?
– Je sais pas, mais on y va», avait
écrit Kerouac. Une phrase qui fera
partie du credo hippie.

L'empreinte de Kerouac sur Bob Dylan

Présente dans la vie des hippies californiens, la Beat Generation se situe également au cœur de l'inspiration des grands du rock. Le poète anglais Royston Ellis n'affirme-t-il pas avoir soufflé à John Lennon l'idée de transformer ses Beetles

Bob Dylan (à gauche) entretient longtemps une relation privilégiée avec Allen Ginsberg : les deux hommes fréquentent ensemble la Factory d'Andy Warhol, tournent avec D. A. Pennebaker, se côtoient dans les studios lors de l'enregistrement de «Highway 61»... Mais l'on peut se demander qui de Ginsberg ou Kerouac a exercé la plus grande influence sur les textes du chanteur, comme «Desolation Row» ou «Just Like Tom Thumb Blues». Sans doute a-t-il servi de vecteur, en 1965-1966, entre les poètes beat et les paroliers des Beatles (ci-dessous).

(«scarabées») en Beatles? Ray Manzarek soutient pour sa part que les Doors n'auraient jamais existé s'ils n'avaient lu *Sur la route*. Le rock agit comme catalyseur, puis comme amplificateur des grandes idées – et des attitudes – de la Beat Generation. Beaucoup de gens sont arrivés à Kerouac, Ginsberg ou Burroughs après avoir écouté Bob Dylan, les Beatles ou Cream, dont le parolier, Pete Brown, était très inspiré par les Beats. Dylan, en particulier, a été fasciné par les écrivains beatniks. Il en a assimilé le langage, les visions, les figures de style, en les mêlant à d'autres sources, comme le blues ou le *protest-song*. Sa manière d'écrire sous amphétamines, durant les années soixante, rappelle celle de Kerouac dix ans plus tôt. En 1965, il se fait photographier aux côtés d'Allen Ginsberg à la City Lights Books. Les deux compères ont tourné un clip mémorable (*Subterranean Homesick Blues*) sous la direction de D. A. Pennebaker, pour le film *Don't Look Back*. Ils se retrouveront en 1975 pour un hommage en musique sur la tombe de Kerouac, à Lowell.

Le rock fasciné par Burroughs

En Grande-Bretagne, la scène du rock subit
elle aussi l'influence de la Beat Generation.
La «*Swinging London*» apparaît aux yeux
d'Allen Ginsberg comme la «nouvelle
Jérusalem» de la vision de William Blake.
Les valeurs beat y resurgissent dans l'attitude
provocante, libérée, sexy, des Beatles, des
Rolling Stones, et de cent autres groupes. Leur
dandysme n'est que la version anglaise du cool
tant prisé par les beatniks. Leur combat est
sans doute le même par certains côtés –
s'affranchir des tabous, vivre dans l'instant,
conserver le «beat», élargir leur champ de
conscience par tous les moyens appropriés...
   De tous les vieux caciques du mouvement,
c'est encore William Burroughs qui est le plus
populaire, et le plus influent, parmi les nouvelles
générations de rockers. En 1965, il laisse Robert
Wyatt et Daevid Allen
baptiser leur
formation Soft
Machine,
du titre d'un
de ses romans.

WILLIAM BURROUGHS

THE
SOFT
MACHINE

n° 88

THE
TRAVELLER'S COMPANION
SERIES

En 1973, Lou Reed enregistre *Metal Machine Music*, un album entier de stridences difficilement audibles, évocatrices de l'univers de Burroughs. En 1975, on le retrouve célébré par les punks de l'East Village, à New York. Burroughs devient un genre de «parrain de la punkitude», une sorte de génie tutélaire pour les jeunes poètes-musiciens du club CBGB's, Patti Smith, Richard Hell, Lydia Lunch, Jim Carroll, Alan Vega. En 1992, Kurt Cobain de Nirvana ferraille des lignes abruptes de guitare saturée d'électricité derrière un monologue de Burroughs – «*The Priest They Called him*». Le monde du rock est loin d'en avoir terminé avec lui : les membres de U2 sont allés enregistrer leur dernier clip près de son ranch, à Kansas City, lui demandant au passage d'y tenir l'un des principaux rôles. Pour eux, comme pour beaucoup de rockers d'aujourd'hui, William Burroughs demeure le personnage le plus fascinant de la Beat Generation, celui qui a le mieux exploré la modernité dans ce qu'elle a de plus inquiétant, de plus onirique aussi.

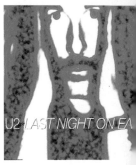

U2 LAST NIGHT ON EA

Le tournage du clip de la chanson *Last Night On Earth* de U2 (ci-dessus) marque sans doute la dernière apparition publique de William Burroughs, disparu le 3 août 1997. Adulé, revendiqué par le monde du rock, il demeure l'écrivain maudit par excellence, celui grâce à qui tout peut arriver; donc un exemple pour qui veut fracturer le temple du bon goût, transgresser les tabous et les interdits. Les plus habiles sauront, comme David Bowie, tirer profit de la leçon.

Les musiciens new-yorkais comme Laurie Anderson ont prêté une oreille attentive à la diction monocorde de William Burroughs, autant qu'à ses textes aux coupures imprévisibles. Patti Smith (ci-contre) est à ses débuts séduite par Burroughs lorsqu'elle écrit son poème «*Piss Factory*».

Une révolte toujours actuelle

Quarante ans après la publication de *Sur la route*, que reste-t-il de la Beat Generation? Au cours des années quatre-vingt, ambitieuses et carriéristes, l'esprit des Beats est resté en veilleuse dans le cœur de beaucoup de laissés-pour-compte du grand rêve consumériste. Il se manifeste de nouveau au début des années quatre-vingt-dix, tandis que l'on assiste à la montée de l'intolérance, à l'accroissement de la pauvreté, au développement de l'injustice et du racisme, au totalitarisme abêtissant de la télévision. Dans ce monde, bien plus dangereux et bien plus hostile que ne l'était celui de l'immédiat après-guerre, les valeurs beat rencontrent une résonance nouvelle. Certes, la nostalgie pour tout ce qui vient de l'Amérique des années cinquante y trouve sa part : comment ne pas rêver d'un ailleurs lorsqu'on étouffe dans une ville polluée? Mais il y a sans doute autre

Michael McClure et Allen Ginsberg (ci-dessous en 1968) ont toujours su à la fois rester fidèles à leurs personnages de poètes porte-parole d'une génération et comprendre les mutations de leur époque. McClure a abandonné son costume strict pour un blouson de motard : il vient d'enregistrer le récit autobiographique de Freewheelin' Frank, secrétaire du chapitre des Hell's Angels de San Francisco. Il chante avec Ginsberg les mantras que ce dernier a enseignés à ses amis beat à son retour d'Inde.

chose : le besoin de modèles, généreux, désintéressés, libérateurs à leur manière. Le besoin d'entendre des voix parler un autre langage que le sabir technocrate ou le mensonge politico-publicitaire. Si l'on est si prêt, aujourd'hui, à tendre l'oreille à la poésie de Kerouac et de ses amis, c'est pour ces raisons, et aussi parce que l'on n'a pas fait beaucoup mieux depuis.

Les valeurs du mouvement sont quant à elles restées d'actualité : respect de la nature, refus de la consommation effrénée, pacifisme, hospitalité aux étrangers, ouverture au monde, émancipation vis-à-vis des vieux systèmes figés. L'engagement écologique inlassablement prôné par Allen Ginsberg, Michael McClure et Gary Snyder a tout de même fini par porter ses fruits – avec la prise de conscience que le «moi» organique fait partie d'un ensemble plus vaste où tout est interconnecté.

Mais aujourd'hui, les Beats seraient toujours aussi mal reçus dans des salons littéraires gangrenés par les adeptes du «politiquement correct», cette véritable censure des mœurs et du langage, aussi nauséabonde que l'était celle des puritains muselant un Lenny Bruce. Gregory Corso serait poursuivi pour harcèlement sexuel, Neal Cassady pour conduite en état d'ivresse, Jack Kerouac pour abus de langage et Allen Ginsberg pour obscénité. Le monde a pourtant bien besoin de gens comme eux, de ces révoltés pacifiques, clochards célestes, poètes hallucinés, étrangers au formatage généralisé de la société cybernétique. Ceux qui aujourd'hui les redécouvrent sont, comme eux il y a cinquante ans, affamés d'amour, d'espace et de liberté.

Gary Snyder (ci-dessus) est l'un des derniers poètes de la Beat Generation encore actif depuis la disparition d'Allen Ginsberg en avril 1997. Très réservé, fuyant les médias, n'apparaissant que rarement en public, Snyder a pourtant été l'une des grandes voix des années soixante, présent dans les «*human be-in*» californiens aux côtés de Ginsberg et Timothy Leary. Son engagement écologique, qui s'est manifesté dès cette époque, apparaît aujourd'hui très contemporain. Avec le temps, son influence devrait devenir de plus en plus importante auprès de ceux que préoccupent les questions d'appartenance à la terre et de brassage des cultures, thèmes essentiels de son œuvre.

TÉMOIGNAGES
ET DOCUMENTS

Qu'est-ce que la Beat Generation?

C'est à Jack Kerouac que l'on doit la vision la plus claire du terme Beat Generation, *mais c'est* John Clellon Holmes *qui donne en 1952, dans un article du* New York Times, *la première définition officielle du mouvement beat. Quelques années plus tard, Gerard Millstein l'identifie par le témoignage d'un «désir forcené de croire». Quant à William Burroughs, qui affirme ne pas en faire partie, il donne au mouvement une importance plus sociologique que littéraire.*

Le visage de la Beat Generation

Il y a quelques mois, un magazine national publia un récit intitulé «Jeunesse» et sous-titré : «Ma mère m'en veut». Il s'agissait d'une jeune fille de Californie âgée de dix-huit ans, arrêtée pour avoir fumé de la marijuana et souhaitant parler de cette expérience. Tandis qu'un reporter notait ses idées dans le langage enlevé des consommateurs d'herbe, quelqu'un prit une photo. Comme elle affirmait appartenir à une nouvelle culture où une personne sur cinq fumait des joints, la photographie était frappante : ce visage pâle et attentif au regard doux et à la bouche intelligente, qu'il aurait fallu être le plus rigoriste des censeurs pour juger criminel, n'exhibait aucune trace de corruption. «Pourquoi ne nous laisse-t-on pas tranquilles?», semblait être sa seule plainte. C'était le visage de quelqu'un de la Beat Generation.

Depuis la fin de la guerre, ce visage jeune et pur est régulièrement réapparu dans la presse : debout devant un juge dans une cour de justice du Bronx, arrêté pour vol de voiture, il regarde la caméra avec un rire curieux, sans la moindre culpabilité. Le même visage, plus sérieux, cette fois-ci, fixe le lecteur dans des pages de *Life* montrant un groupe d'anciens GIs. Persuadé que les petites entreprises sont mortes, il annonce son intention de vivre confortablement en travaillant pour la plus grande corporation possible. Un peu plus jeune et plus éberlué, c'est encore ce visage que l'on photographia dans l'Illinois lorsque l'on découvrit le premier club pour non-vierges. Le jeune employé d'une agence de publicité, accoudé à un bar de la Troisième Avenue et buvant tranquillement pour se détendre, et l'énergique casse-cou de Los Angeles

« Ce qui se cache derrière le monde bizarre des beatniks» dit l'affiche de ce film tourné en 1959.

jouant à la roulette russe avec un tacot déglingué ne sont séparés que par un continent et quelques années. Ils représentent des extrêmes avec, entre les deux, des secrétaires se demandant s'il faut qu'elles couchent tout de suite avec leur *boyfriend* ou s'il vaut mieux qu'elles attendent; des mécaniciens buvant de la bière avec leurs potes et partant à Detroit sur un coup de tête; des mannequins à un cocktail, se vantant consciencieusement des célébrités qu'ils connaissent. Le visage est identique : intelligent, lisse, réaliste, provocateur.

Tenter de coller une étiquette à toute une génération ne rime à rien. La génération qui connut la dernière guerre, ou du moins qui était en âge de se faire servir à boire lorsqu'elle se termina, semble pourtant posséder une certaine qualité générale qui appelle un adjectif. C'est John Kerouac, auteur d'un superbe roman, malheureusement méconnu, *The Town and the City* [*Avant la route*] qui l'a finalement trouvé. Ce fut il y a quelques années. Le visage était devenu plus difficilement reconnaissable mais l'œil était demeuré sympathique et aigu, et il s'exclama un jour : «Vous savez, c'est vraiment une génération *beat*.»

Les origines du mot *beat* sont obscures mais la plupart des Américains en comprennent bien la signification. Plus que l'épuisement, il implique le sentiment d'avoir été utilisé, d'être écorché vif. Il implique une sorte de nudité de l'esprit et, en fin de compte, de l'âme : l'impression d'être acculé au tréfonds de la conscience. En résumé, cela signifie être, d'une façon non dramatique, au pied de son propre mur. Un homme est beat lorsque, ayant déclaré faillite, il mise tout ce qui lui reste sur un seul numéro, chose que la jeune génération n'a cessé de faire depuis sa plus tendre enfance.

John Clellon Holmes,
«This is the Beat Generation»,
New York Times Magazine,
16 novembre 1952,
trad. I. Leymarie

Un désir de croire

La Beat Generation avait déjà perdu ses illusions en naissant. Elle considère l'imminence de la guerre, l'inutilité de la politique et l'hostilité du reste de la société comme inévitables. Elle n'est même pas impressionnée par le bien-être matériel (distingué du matérialisme), bien qu'elle ne prétende jamais le mépriser. Elle ignore quel refuge elle cherche, mais elle cherche.

Comme l'écrit John Aldridge dans son étude critique, *Après la génération perdue*, l'écrivain, après la guerre, a eu quatre choix : le journalisme romanesque ou l'écriture de romans journalistiques; les quelques sujets n'ayant pas déjà été archi-exploités (l'homosexualité, les conflits raciaux), la technique pure (faute de quelque chose à dire), ou le chemin qu'a pris Kerouac, l'affirmation «du besoin de croire même dans un contexte où la croyance est impossible et où les symboles sont dépourvus d'une authentique affirmation en termes authentiques».

Il y a cinq ans, dans le magazine du dimanche de ce journal, un jeune romancier, Clellon Holmes, ami de Kerouac et auteur d'un livre intitulé *Go*, tenta de définir la génération que Kerouac avait baptisée. Ce faisant, il alla, en cela, plus loin qu'Aldridge, déclarant, parmi d'autres choses pertinentes, que pour les gens comme lui, «l'absence de valeurs personnelles et sociales... n'est pas une révélation ébranlant leur univers, mais un problème exigeant une solution quotidienne. *Comment* vivre leur semble beaucoup plus essentiel que *pourquoi* vivre». Il ajouta que la différence entre la génération «perdue» et la génération «beat» réside peut-être dans «la volonté» qu'a cette dernière «de croire en dépit de l'incapacité à le faire de façon conventionnelle», et dans ce qu'elle

témoigne «partout et de multiples façons d'un désir forcené de croire».

Gilbert Millstein, « Review of *On the Road*», *New York Times Magazine*, 5 septembre 1957, trad. I. Leymarie

Un phénomène sociologique

William Burroughs déclare ne pas avoir de filiation avec le mouvement beat.

Je ne m'associe pas du tout [au mouvement beat] et je ne l'ai jamais fait. Ni avec [ses] buts, ni avec [son] style littéraire. J'ai des amis personnels parmi le mouvement beat; Jacques Kerouac, Allen Ginsberg et Gregory Corso sont tous des amis de longue date, mais nous ne faisons pas du tout la même chose, ni dans l'écriture, ni dans nos points de vue. Vous ne pourriez pas trouver quatre écrivains plus différents, plus distincts. Je ne m'associe pas à eux. C'est simplement un cas de juxtaposition plutôt qu'une association réelle de styles littéraires ou de buts généraux.

Son importance littéraire? Eh bien, je dirai que l'importance littéraire du mouvement beat n'est peut-être pas aussi évidente que son importance sociologique. Je veux dire par là qu'il a vraiment transformé le monde et l'a peuplé de beatniks. Il a brisé toutes sortes de barrières sociales pour devenir un phénomène global d'une énorme importance. Les beatniks vont en Afrique du Nord et entrent en contact avec les Arabes à un niveau qui me semble plus fondamental que celui des anciens colons qui pensent encore de la même façon que T. E. Lawrence. C'est un phénomène sociologique d'une importance énorme et, comme je l'ai dit, c'est un phénomène global. [...]

Daniel Odier, *Entretiens avec William Burroughs*, Pierre Belfond, 1969

Une manière de voir mais aussi une manière de faire. La Beat Generation a inventé de nouvelles techniques, littéraires et artistiques. Témoignage de Brion Gysin.

le «cut-up»

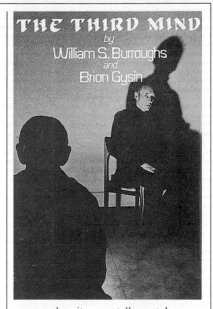

J'ai entendu parler des magnétophones à la fin de la Seconde Guerre mondiale, avant d'aller au Maroc, en 1950. Malheureusement, je n'ai jamais disposé d'équipement convenable pour enregistrer même une partie des merveilles musicales que j'ai entendues dans ce pays. Je n'ai enregistré de la musique que dans ma maison, *Les Mille et Une Nuits*, et encore, à l'époque où elle était sur le point de disparaître. Même durant les dernières années, je n'ai jamais réussi à mettre la main sur des machines d'assez bonne qualité pour enregistrer des sons qu'on n'entendra plus jamais. Nulle part. [...]

Ce que nous fîmes seuls c'est de bricoler avec la technologie limitée et le faible courant dont nous disposions dans le vieux Beat Hotel (nous n'avions droit, dans la chambre, qu'à 40 watts). La pauvreté a ses avantages : ça rend plus inventif, c'est plus divertissant et l'ingéniosité donne des résultats plus satisfaisants. Quand on fait les choses soi-même, on se rend mieux compte de ce qu'il se passe. William adorait l'idée de travailler avec ses propres mots, de les marquer au fer rouge, et de rassembler ceux des autres s'il le souhaitait. En outre, la première fois qu'on l'entend, c'est un vrai plaisir pour les oreilles. Dès que j'ai pu, j'ai commencé à expérimenter avec des vitesses très élevées et des superpositions. Je suis persuadé que c'est un des phénomènes dont le be-bop est issu; quand Dizzy Gillespie, Thelonious Monk et les autres se sont entendus deux fois, quatre fois et encore plus vite, avec tellement de décibels qu'on ne pouvait plus rien discerner après ça, comme avec les sifflets pour chiens. *«Hey Rube!»*, le vieil avertissement narquois que se lançaient les forains quand un client provincial, furieux d'avoir été escroqué par eux, se mettait à les poursuivre... *«Hey Rube!»* le cri prévenait les marlous que ça sentait le roussi... *«Hey-ba ba-Rube-ba!»* – *Salt Peanuts* et le son rude revenant sans arrêt avec une telle insistance qu'on sait qu'il s'agit de be-bop dès la première mesure. Qu'il ait tort ou raison, Burroughs était fasciné parce qu'il avait souvent dû écouter le langage «be-bop» de Kerouac, que je n'ai jamais rencontré. Kerouac a dû être un personnage passionnant. Je regrette de ne pas l'avoir connu, alors que j'ai été fourré avec tout le reste de la Beat Generation. Peut-être ai-je eu de la chance. Je me souviens de les avoir tous évités après que Paul

Bowles m'a écrit : «Je ne comprends pas leur intérêt pour la drogue et toute cette folie.» Puis j'ai réalisé que c'était tout le contraire qu'il voulait dire. C'est typique de lui. Il m'a aussi recommandé de me rapprocher de Burroughs, que j'avais snobé… jusqu'à ce qu'il cesse de se droguer, à Paris.

Question. Qui a produit le Poem of Poems *avec le magnétophone? Le texte de* The Third Mind *est ambigu.*

C'est moi. Je l'ai fait pour montrer à Burroughs comment éventuellement l'utiliser. William ne possédait pas encore de magnétophone. D'abord, j'avais «accidentellement»

Bob Thiele, producteur du disque de poésies enregistré par Kerouac en 1959.

utilisé des chroniques de chiens écrasés, des fragments découpés dans la presse que j'avais assemblés pour constituer, sans le vouloir, des textes nouveaux et originaux. Puis William employa son propre matériau, incandescent, ses propres textes inimitables qu'il découpait impitoyablement, avec le genre de découpes que Gregory Corso aurait jugé inacceptables pour ses délicates «poésies» à lui. William était toujours le plus costaud du groupe. Rien ne le perturbait jamais. Je ne lui ai donc suggéré que les meilleurs textes, les plus intenses : la traduction, par le Roi James, du *Cantique des Cantiques* du roi Salomon, la traduction, par Eliot, de l'*Anabase* de Saint-John Perse, de merveilleux *Sonnets* de Shakespeare et quelques lignes extraites des *Portes de la Perception* d'Aldous Huxley, évoquant les expériences de l'écrivain avec la mescaline.

Peu après Burroughs massacrait, à force d'appuyer dessus comme un forcené, une série de magnétophones japonais bon marché en plastique, qu'il manipulait si brutalement qu'il pouvait en démolir un en l'espace de quelques semaines ou de quelques jours. A la même époque, il achetait aussi plusieurs machines à écrire en plastique tout aussi bon marché en tapant dessus avec deux index raides… et la puissance d'un taureau. Il pouvait anéantir une machine à force de la manipuler sans ménagements.

C'est la photo de William vêtu d'un costume et d'une cravate, comme toujours, assis à sa table dans une chambre sordide qui illustre le mieux cette période du Beat Hotel. Au mur est suspendu un petit meuble en métal avec trois compartiments pour la correspondance que je lui avais donné pour y classer ses coupures. Plus tard, sa pièce fut envahie par des boîtes contenant des manuscrits indexés de telle façon que lui seul s'y retrouvait, plus par de la divination que par un quelconque système logique. Comment, d'ailleurs, aurait-il pu y avoir de logique? Ce qui l'intéressait, c'était la magie, découvrir l'imagination créatrice à sa source même. Je me souviens l'avoir entendu marmonner que ses manuscrits se multipliaient et se reproduisaient comme des microbes virulents.

Terry Wilson,
«Here To Go»,
Research Publications
William Burroughs, 1982, San Francisco
trad. I. Leymarie

Croyances et techniques pour la prose moderne

Liste des points essentiels :

1. Carnet secrets, couverts de gribouillis et pages follement dactylographiées, pour votre propre plaisir
2. Soumis à tout, ouvert, à l'écoute
3. N'essayez jamais de vous soûler en dehors de chez vous
4. Soyez amoureux de votre vie
5. Ce que vous ressentez trouvera sa propre forme
6. Soyez fou, un saint en bois de l'esprit
7. Soufflez aussi profondément que vous souhaitez souffler
8. Ecrivez ce que vous voulez sans fond depuis le fin fond de l'esprit
9. Les visions indicibles de l'individu
10. Pas de temps pour la poésie, mais exactement ce qui est
11. Des tics visionnaires tremblant dans la poitrine
12. Rêvant en transe d'un objet se trouvant devant vous
13. Eliminez l'inhibition littéraire, grammaticale et syntactique
14. Comme Proust, soyez à la recherche du joint perdu
15. Raconter la véritable histoire du monde dans un monologue intérieur
16. Le joyau, centre d'intérêt, est l'œil à l'intérieur de l'œil
17. Ecrivez pour vous dans le souvenir et l'émerveillement
18. Travaillez à partir du centre médullaire de votre œil
19. Acceptez la perte comme définitive
20. Croyez en le contour sacré de la vie
21. Luttez pour esquisser le courant intact dans l'esprit
22. Ne pensez pas aux mots quand vous vous arrêtez mais pour mieux voir l'image
23. Prenez note de chaque jour la date blasonnée dans votre matin
24. Pas de peur ou de honte dans la dignité de votre expérience, langage et savoir
25. Ecrivez de façon que le monde lise et voyez-en vos images exactes
26. Livrefilm est le film écrit, la forme américaine visuelle
27. Eloge du caractère dans la solitude inhumaine et glacée
28. Composer follement, de façon indisciplinée, pure, venant de dessous, plus c'est givré, mieux c'est
29. On est constamment un Génie
30. Scénariste-Metteur en scène de films Terrestres Sponsorisés et Financés par les Anges au Paradis

Jack Kerouac,
Evergreen Review, vol 2, n° 8, 1959,
trad. I. Leymarie

Morceaux choisis

Le roman de Kerouac Sur la route *demeure le texte fondateur de la Beat Generation. Plus que le récit d'une errance à travers l'Amérique, c'est un chant à l'amitié – envers les principaux acteurs du mouvement, Allen Ginsberg, William Burroughs et surtout Neal Cassady, personnage central du livre. Leurs œuvres vont à leur tour devenir emblématiques du courant littéraire le plus important qu'ait connu l'Amérique d'après la guerre.*

«Sur la route»

«Voici le monde, dit Dean. Mon Dieu! cria-t-il, claquant de ses mains le volant. Voici le monde! Nous pouvons aller directement en Amérique du Sud, si la route y va. Songes-y! Enfant de putain! Foutre Dieu!» Et on fonçait toujours. L'aube se déploya très vite et on commença à voir le sable blanc du désert et, de loin en loin, des cabanes à l'écart de la route. Dean ralentit pour les examiner. «De vraies cabanes de misère, mon pote, un style qu'on trouve seulement dans la Vallée de la Mort et en plus moche. Ces gens ne se soucient aucunement des apparences.» Devant nous, la première ville qui eût quelque importance sur la carte se nommait Sabinas Hidalgo. On avait sacrément hâte d'y arriver et de la voir. «Et la route ne diffère pas de la route américaine, s'écria Dean, à l'exception d'une chose unique et démentielle, comme tu peux le remarquer, ici à droite, les bornes milliaires ont des inscriptions en kilomètres et elles cliquettent la distance qui nous sépare de Mexico. Tu piges,

L a Route 6 que prit Kerouac (alias Sal Paradise) de Cape Cod à Los Angeles.

c'est l'unique grande ville de tout le pays, tout converge dessus.» Il ne restait plus que sept cent soixante-sept milles jusqu'à cette métropole; en kilomètres, le chiffre dépassait le millier. «Bon Dieu! Faut que j'y arrive!» s'écria Dean. Pendant un moment, je fermai les yeux, absolument épuisé, et j'entendais toujours Dean qui cognait le volant avec ses poings et disait : «Bon Dieu», et «Quelle jouissance!» et «Oh, quel pays!» et «Oui!» On arriva à Sabinas Hidalgo, en plein désert, environ à sept heures du matin. On roula complètement au pas pour voir ça. On réveilla Stan à l'arrière. On se redressa, droits sur nos sièges, pour savourer. La rue principale était boueuse et pleine de trous. De chaque côté, c'étaient des façades sales, délabrées, décrépies. Des ânes marchaient dans la rue avec des paquets. Des femmes pieds nus nous observaient sous des porches obscurs. La rue était toute grouillante de piétons qui commençaient une nouvelle journée dans les campagnes du Mexique. Des vieux aux moustaches en guidon nous regardaient fixement. Le spectacle de trois jeunes Américains barbus et dépenaillés, si différents des touristes habituels bien fringués, leur paraissait d'un intérêt inhabituel. On suivait la grand-rue en cahotant à dix milles à l'heure, buvant tout comme du petit lait. Un groupe de filles arriva juste au-devant de nous. Comme on passait en cahotant, une d'elles dit : «Où tu vas, mon pote?»

Je me tournai vers Dean, stupéfait. «T'as entendu ce qu'elle a dit?»

Dean fut tellement étonné qu'il continua à rouler lentement, en disant : «Oui, j'ai entendu ce qu'elle a dit, bon Dieu oui et foutrement bien, oh moi, oh moi, je ne sais pas quoi faire tellement je suis excité et enamouré dans ce monde matinal. Nous sommes finalement arrivés au paradis. Ça ne pourrait être plus paisible, ça ne pourrait être plus grandiose, ça ne pourrait être autrement.»

Jack Kerouac, Sur la route,
Folio Gallimard, 1976,
trad J. Houbart

«Le Festin nu»

La Mouche a planqué son héroïne dans un billet de loterie.

Seringuette ultime – demain la cure.

La route est longue. Erections et dépressions se succèdent sans discontinuer.

De longues heures à travers la caillasse du reg pour atteindre la palmeraie (les petits Arabes font caca dans le puits, dansent le rock'n roll sur les plages pour athlètes du dimanche, se gavent de hot dogs et recrachent des dents en or à pleines pépites).

Edentés, rongés par la longue faim, les côtes en planche à laver leurs propres haillons, ils débarquent en titubant de la barge à balancier, arpentent la plage de l'île de Pâques, les jambes raides et cassantes comme des échasses… Ils dodelinent du chef à la fenêtre du club, empâtés par la fausse graisse des corps privés-sevrés qui n'ont plus de jeunesse à vendre…

Le planeur glisse dans l'air silencieux comme une érection, comme une vitre enduite de graisse qui se brise sous les doigts fripés d'un jeune voleur aux yeux dissous par la came… explosion ultrasonique du verre… il se faufile dans la maison violée, évitant les éclats de carreaux graisseux… tic-tac sonore d'une pendule dans la cuisine… soudain, un souffle brûlant ébouriffe ses cheveux et une charge de chevrotine lui fait jaillir la cervelle… le Vieux éjecte la douille vermillon, fait une pirouette en brandissant son fusil de chasse...

«Merde, les gars, c'était facile comme tout... pareil que de pêcher un poisson rouge dans un aquarium... Quand même! Un môme bien sapé, compte en banque et tout... Là-dessus un pruneau bien graissé et flac! salut ma tête, il s'affale le cul ouvert... Hé le môme, tu m'entends bien là où tu es?

«Faut dire que j'ai été jeune moi aussi, j'ai entendu l'appel des sirènes... le fric facile et les femmes et les petits gitons au cul serré, et nom de Dieu m'échauffez pas le sang ou je vous en raconte une si raide qu'elle va vous mettre le paf au garde-à-vous et vous partirez à japper après la coquillette rose du con tout neuf ou la jolie chansonnette gicleuse d'un petit cul brun d'écolier qui vous joue sur la bite comme sur un pipeau... Désolé, môme, je voulais pas te tuer... On peut pas être et avoir été... si je veux garder mon public, faut que ça pète et tant pis si ça craque... tout comme un vieux lion qu'aurait les dents cariées, il lui faut la vraie bonne pâte machin qui vous fait mordre la vie à belles dents... ces vieux bâtards deviennent tous des mangeurs d'hommes et de garçonnets... et c'est pas étonnant vu que les morgues sont pleines à craquer de jolis gitons crevés... Allons môme, me fais pas le coup de la rigor mortis je connais pas le latin. Un peu de respect devant les rides de ma queue... le jour viendra où tu seras tout décati de la braguette toi aussi... hum, peut-être pas après tout... Bah, il y a des mômes qu'on peut pas tuer... on les a pendus si souvent qu'ils résistent comme un gonocoque à moitié châtré par la pénicilline et qui retrouve assez de santé pour se multiplier en style géométrique... C'est pourquoi je propose de voter l'acquittement légal et de mettre fin à ces exhibitions dégoûtantes pour lesquelles le shérif perçoit sa livre de chair..." [...]

William Burroughs,
Le Festin nu, Gallimard, 1964,
trad. E. Kahane

«Howl»

Quel sphinx de ciment et d'aluminium a
  défoncé leurs crânes et dévoré leurs
  cervelles et leur imagination?
Moloch! Solitude! Saleté! Laideur!
  Poubelles et dollars impossibles à
  obtenir! Enfants hurlant sous
  les escaliers! Garçons sanglotant
  sous les drapeaux! Vieillards pleurant
  dans les parcs!
Moloch! Moloch! Cauchemar
  de Moloch! Moloch le sans-amour!
  Moloch mental! Moloch le lourd juge
  des hommes!
Moloch en prison incompréhensible!
  Moloch les os croisés de la geôle sans
  âme et du Congrès des afflictions!
  Moloch dont les buildings sont
  jugements! Moloch la vaste roche
  de la guerre! Moloch
  les gouvernements hébétés!
Moloch dont la pensée est mécanique
  pure! Moloch dont le sang est
  de l'argent qui coule! Moloch dont
  les doigts sont dix armées!
  Moloch dont la poitrine est
  une dynamo cannibale! Moloch
  dont l'oreille est une tombe fumante!
Moloch dont les yeux sont mille fenêtres
  aveugles! Moloch dont les gratte-ciel
  se dressent dans les longues rues
  comme des Jéhovah infinis! Moloch
  dont les usines rêvent et croassent
  dans la brume! Moloch dont
  les cheminées et les antennes
  couronnent les villes!
Moloch dont l'amour est pétrole
  et pierre sans fin! Moloch dont l'âme

Allen Ginsberg désignant le Moloch.

est électricité et banques! Moloch
dont la pauvreté est le spectre
du génie! Moloch dont le sort est
un nuage d'hydrogène asexué!
Moloch dont le nom est Pensée!
Moloch en qui je m'assois et me sens
seul! Moloch où je rêve d'Anges!
Fou dans Moloch! Suceur de bite
en Moloch! Sans amour et sans
homme dans Moloch!
Moloch qui me pénétra tôt! Moloch
en qui je suis une conscience sans
corps! Moloch qui me fit fuir de peur
hors de mon extase naturelle! Moloch
que j'abandonne! Réveil dans
Moloch! lumière coulant du ciel!
Moloch! Moloch! Appartements robots!
banlieues invisibles! trésors
squelettiques! capitales aveugles!
industries démoniaques! nations
spectres! asiles invincibles! queues
de granit! bombes monstres!
Ils se sont pliés en quatre pour soulever
Moloch au Ciel! Pavés, arbres, radios,

tonnes! soulevant la ville au Ciel qui
existe et qui nous entoure partout!
Visions! augures! hallucinations!
miracles! extases! disparus dans le
cours du fleuve américain!
Rêves! adorations! illuminations!
religions! tout le tremblement de
conneries sensibles!
Percées! par-dessus le fleuve! démences
et crucifixions! disparus dans la crue!
Envolées! Epiphanies! Détresses!
Décades des cris animaux et de
suicides! Mentalités! Amours neuves!
Génération folle! en bas sur les
rochers du Temps!
Vrai rire sacré dans le fleuve! ils ont vu
tout cela! les yeux fous! les
hurlements sacrés! Ils ont dit adieu!
Ils ont sauté du toit! Vers la solitude!
gesticulant! portant des fleurs!
En bas vers le fleuve! dans la rue!

Allen Ginsberg,
Howl, Bourgois, 1993,
trad. J.-J. Lebel, R. Cordier

Regards sur les acteurs

Les fortes personnalités des trois principaux auteurs de la Beat Generation – Kerouac, Ginsberg et Burroughs – ont suscité de nombreuses études, biographies, témoignages post mortem. *Le caractère très différent de ces hommes laisse entendre que leur œuvre n'était soumise à aucune autorité tutélaire, aucune règle littéraire, aucune rigueur d'école. L'Amérique, qui les porte aujourd'hui au pinacle, a-t-elle bien compris le sens de leur démarche?*

Une vitrine du petit musée Kerouac de l'université de Lowell.

Sur la route avec Mémère

Sa mère Gabrielle est sans doute la seule femme qui ait su donner à Jack Kerouac un point d'ancrage.

Un fait : la seule femme que Jack Kerouac emmena jamais sur la route ne fut ni moi, ni Edie Parker, ni Carolyn Cassady, ni aucune des sombres beautés *fellaheen* de ses rêves, mais Gabrielle L'Evesque Kerouac, soixante-deux ans, avec son chignon de cheveux gris acier, ses lunettes rondes et son rosaire enfermé dans son vieux porte-monnaie noir.

Alors que Jack se plaint des sinistres gares routières, de la monotonie déprimante des autoroutes transcontinentales, des nuits de sommeil agité et inconfortable qu'il impose à sa mère, Mémère regarde gaiement par la fenêtre les plaines du Texas, la vallée du Rio Grande, le désert de Mojave, aidant Jack et elle à tenir

le coup grâce aux cachets d'aspirine qu'elle a eu la bonne idée d'emporter, et qu'elle avale avec des gorgées de Coca-Cola. Elle achète des souvenirs, et, dans un restaurant où elle commande des huîtres, flirte avec un vieillard pour qui elle griffonne son adresse sur un menu. Mémère est ravie par la nuit qu'ils passent dans un petit hôtel délabré, dont le manque de confort humilie Jack. Pour Mémère, tout est luxe et imprévu, aventures cocasses et joyeuses. Avec son petit Jackie à ses côtés, elle voit enfin le monde. Car elle a seulement connu le labeur, la pauvreté et les messes du dimanche. Elle a commencé à travailler dans les usines de chaussures à quatorze ans, elle s'est mariée à dix-sept, a eu trois enfants – une existence passée entre l'évier et la boîte à couture, la lessive et les économies. Sur le chapitre de l'économie, elle surpassait même ma mère, sauvant de la poubelle les derniers centimètres de fil sur la bobine, une demi-pomme de terre, un quart d'oignon, un lot d'aiguilles achetées en 1910. Les paquets que Jack prépara pour Mémère avant de partir en Californie contenaient tout ce que la bourgeoisie aurait jeté à la poubelle. Peut-être ces quelques jours passés en car Greyhound semblèrent-ils à Mémère le voyage de noces qu'elle n'avait jamais eu.

Mais au bout de la route aucune maison n'attendait Mémère et Jack, – seulement un appartement de trois pièces mal meublé. Ils durent surveiller leurs dépenses au supermarché. Mémère détesta Berkeley, détesta les collines et les brumes matinales qui empêchaient les vêtements de sécher sur la corde à linge, détesta les inconnus bizarres qui ne cessaient de passer chez elle pour lui enlever son Jack, détesta le bruit de sa machine à écrire derrière la porte close. Sa fille lui manquait, ainsi que

ses voisins et le soleil éclatant d'Orlando. Pourquoi Jackie ne pouvait-il simplement habiter là-bas avec elle, dans une jolie maison? A quoi bon ce voyage insensé? demanda-t-elle à son fils.

Joyce Johnson, *Personnages secondaires*,
Sylvie Messinger, 1984,
trad. B. Matthieussent

Ginsberg, porte-parole de la Beat Generation

Sans Allen Ginsberg, la Beat Generation n'aurait pas existé. Il fut le seul du premier groupe d'écrivains beat à avoir assez d'ambition et de culot, avec un sens infaillible de la publicité, pour attirer l'attention du monde littéraire et des médias. Au début, l'attention qu'on lui porta fut plutôt motivée par le scandale qu'il suscita que par l'art, mais Ginsberg savait que la notoriété ouvre parfois la porte à la renommée. Ce qui importe plus, cependant, c'est que durant les cinquante ans d'une carrière poétique hors pair, il symbolisa et remit constamment à jour les valeurs fondamentales du mouvement beat. Selon son ami le romancier John Clellon Holmes, sa grandeur tint en partie à sa volonté d'être «jugé autant pour ses folies que ses succès». Qu'il ôte ses vêtements durant une lecture de ses poèmes, en 1965, en réponse à un auditeur lui demandant ce qu'il entendait par «nudité», ou, plus récemment, qu'il se produise avec des musiciens de rock, y affichant ses limites musicales ainsi que son éternelle faculté de réagir à la jeunesse, Ginsberg se laissait appréhender par tous ceux qui se trouvaient sur le seuil d'une prise de conscience avec une franchise et un sens de l'humour inégalés dans l'histoire des Etats-Unis.

Il prit des risques. Son mantra bouddhique *Om ah hum* calmerait-il les manifestants enragés et les policiers brutaux de la convention présidentielle de Chicago de 1968? Désarmerait-il les truands venus l'attaquer près de son appartement de la Dixième Rue Est, en novembre 1974? «La ferme ou on te descend!» fut la réponse des truands.

Ginsberg n'eut jamais peur de pratiquer en public. Il nous fit clairement voir tous les événements humiliants que nous subissons durant la plus grande partie de notre existence avec une gêne épouvantable, et son refus des secrets, de la dissimulation de l'inacceptable lui conféra une extraordinaire dignité. Ginsberg amena le «monstre» (selon son propre terme) jusqu'à notre porte, et c'est dans l'image de celui-ci qu'il trouva son art. Son exemple transforma la façon de s'exprimer des Etats-Unis : les anciens écrits d'Imamu Baraka, les paroles des chansons de Bob Dylan datant du milieu des années soixante, *Life Studies* de Robert Lowell et *Advertisements for Myself* de Norman Mailer seraient pratiquement inconcevables sans lui.

Comme pour Kerouac et Burroughs, on ne peut comprendre Ginsberg en dehors du contexte de la Guerre froide dans lequel sa carrière prit son essor. Aujourd'hui, en 1997, la guerre froide apparaît moins comme la lutte contre le communisme international qu'elle fut censée être que comme une croisade extrêmement calculée contre la fermeture des marchés et l'ouverture des esprits. Ce furent les partisans de cette Guerre froide, violant l'intimité des citoyens américains au nom de la «sécurité nationale», qui conçurent l'équation postmoderne : vie personnelle = sujet politique. Ginsberg prit le contre-pied total : à une époque où l'homosexualité était assimilée à la folie et à une trahison, il divulgua les secrets du corps masculin et affirma, plus de dix ans avant Stonewall, l'importance et la responsabilité de la communauté gay

dans la vie américaine. Prophète juif de notre temps, il annonça que les Etats-Unis se trouvaient dans la salle des urgences. Par un acte extraordinaire de prévention poétique, il tira des ressources inédites d'un état de crise nationale durant aujourd'hui depuis un demi-siècle sans jamais avoir été officiellement reconnu, créant un art nourri des rythmes tragi-comiques du déclin. Le monde qui le préoccupa vieillit sans s'assagir, mais Ginsberg continua d'avoir des visions, des images venues «du fond du cerveau», selon son expression, de rues urbaines, du «ciel au-dessus, ancien lieu bleu».

Dharma Beat, le bulletin fondé par Jack Kerouac, vient de publier deux des récents *Rêves de Kerouac* de Ginsberg. Ginsberg demeura toujours totalement fidèle à Kerouac, alors généralement pas encore reconnu par les universitaires américains. Dans les rêves, Kerouac exprime, comme Ginsberg, sa haine des Etats-Unis de l'époque, «province étroite d'esprit aux pouvoirs multinationaux», tout en continuant cependant à prédire et à croire que «L'Amérique Poésie […] nous survivra». Avant la veillée funéraire, Ginsberg embrasse son ami tant aimé et lui demande : «Quand nous reverrons-nous?» Il a désormais obtenu la réponse.

Ann Douglas, «Remembering Allan Ginsberg», *Village Voice*, 15 avril 1997, trad. I. Leymarie

La logique des sutras

Jack Kerouac et Gary Snyder ont toujours exprimé dans leurs écrits, comme dans leur vie, leur intérêt pour le bouddhisme.

Jack Kerouac et Gary Snyder furent liés par une énergique camaraderie. Se rendant certainement compte de la compréhension qu'avait Jack de la doctrine du dharma, Snyder lui dit à un moment donné : «Jack, il est temps que tu écrives des sutras.» Kerouac se mit alors à rédiger son *Scripture of the Golden Eternity*. C'était en 1956.

Traditionnellement, *sutra* vient de la racine sanscrite *siv*, signifiant coudre un fil ou un brin de laine. Il implique aussi l'idée d'un point de rencontre ou d'un carrefour et désigne le moment où les disciples saisissent l'illumination du Bouddha. Sur le plan historique, un sutra est un dialogue entre Gautama et un ou plusieurs de ses adeptes et il contient les mots exacts prononcés par le Bouddha. *Scripture*, d'un autre côté, suggère le canon chrétien – the *Holy Scriptures* –, les saintes écritures de la Bible. Kerouac possède une connaissance approfondie et une appréciation des deux canons. Il est aussi capable, dans ce remarquable texte, de rassembler les deux dans son esprit, introduisant aussi, avec le personnage du Coyote, des fragments de chamanisme des Indiens des Etats-Unis. La forme de ce texte est incontestablement plus bouddhique que chrétienne. Il déborde aussi de l'humour méticuleux de Kerouac et de sa fantasque sagesse.

La pensée étant assez vertigineuse pour rendre fou, il existe une tendance, dans ce qui touche au bouddhisme, à engendrer un langage magique. Pour le profane, ces syllogismes illogiques semblent du charabia, de la langue de bois, mais ils sont de l'or pour le poète.

La poésie sanscrite parle de *sandhyabasha*, ou discours crépusculaire, langage «à l'envers» truffé de contradictions et de paradoxes. Les contraires prolifèrent dans les sutras bouddhiques, dont abonde le texte de Kerouac. Les *koans* zen stimulent l'intellect du novice, un peu à la manière du concept d'«aptitude négative» de Keats, où l'esprit peut embrasser des points de vue contraires sans «quête irritante du fait et de la raison».

«L'univers est totalement connu parce qu'il est/ignoré.» «Mère Kali se remange elle-même» ou «Les rêves rugissants se déroulent dans un esprit parfaitement silencieux.» «Que cela signifie-t-il que ces arbres et ces montagnes soient magiques et irréels? Cela signifie que ces arbres et ces montagnes sont magiques et irréels. Que cela signifie-t-il que ces arbres et ces montagnes ne soient pas magiques mais réels? Cela signifie que ces arbres et ces montagnes ne sont pas magiques mais réels.» «Les contraires ne sont pas identiques/pour cette raison, ils le sont.» Amen. Kerouac en est venu tout à fait naturellement à cette logique sans queue ni tête.

Ann Waldman, Introduction à *The Scripture of the Golden Eternity*, Jack Kerouac, trad. I. Leymarie

Burroughs

«Il est comique de lire des comptes rendus consacrés à Burroughs qui essaient de classer ses livres comme des non-livres ou des ouvrages ratés de science-fiction. C'est un peu comme si l'on s'occupait d'abord de l'accent et des vêtements de l'homme qui frappe à la porte pour nous prévenir que les flammes jaillissent de notre toit», c'est Marshall McLuhan qui le dit et c'est à la même lecture que nous convie Burroughs : «Je veux être pris à la lettre. Oui, je veux faire prendre conscience de la criminalité de notre époque. Toute mon œuvre s'inscrit contre ceux qui, par idiotie ou par dessein, veulent faire sauter la planète ou la rendre intenable.» Norman Mailer partageait ce point de vue, qui voyait dans l'œuvre de Burroughs «le plus parfait tableau du bagne psychique où nous vivons».

Patrick Raynal, « William Burroughs, dynamiteur du rêve américain », *Le Monde*, 5 août 1997

Un art en partage

La liberté du verbe, de l'esprit, comme de l'attitude, manifestée par les écrivains beat trouve souvent des corollaires du côté d'autres manifestations artistiques comme la peinture, le théâtre ou la musique de jazz.
Les rencontres et les collaborations entre praticiens de diverses disciplines déterminent des formes nouvelles de création.

Action art

L'*action poem* ne peut pas plus nous renseigner sur l'*acting writer* que l'*action painting* ne peut exister sans notre émerveillement devant les traces du peintre sur la toile. Nous le voyons chez Pollock, dans ses sinuosités bleues, mauves, rouges et argent habitées par le *duende*, avec ses coulées de peinture tombant les unes sur les autres. La contemplation ou le souvenir des énormes et calmes touches de vert et de mauve sur de l'écarlate que Rothko étale sur ses surfaces dans des lavis de pigments nous informe elle aussi. L'information est un savoir qui accomplit l'avenir.

Pour comprendre les *action poems*, l'*action painting*, l'*action music* ou les événements publics et privés de notre existence active, il est utile de saisir la nature de l'énergie dans les systèmes biologiques.

Michael McClure,
Scratching the Beat Surface,
Point Press,
San Francisco, 1982.
trad. I. Leymarie

Jazz et poésie

Je récite de la poésie sur fond de jazz. J'aime la poésie et les gens apprécient cette combinaison. Mais surtout, la poésie et le jazz acquièrent, au contact l'un de l'autre, une dimension nouvelle et différente. La poésie a toujours gagné à s'associer à la musique… dans la Chine, le Japon, l'Inde et la Grèce ancienne, avec les troubadours, les baladins allemands, les bardes scandinaves. Pas seulement en tant que paroles de chansons mais aussi en tant que récitation. Les poèmes homériques étaient toujours déclamés de la sorte. Par

Le saxo baryton Gerry Mulligan (ci-contre à gauche), jouant avec son ami Chet Baker.

les rhéteurs, en particulier, dont c'était la profession. En un sens, le véritable mariage de la poésie et du jazz débuta vers le milieu du XIXe siècle avec Charles Cros. Poète très sage et excellent, ami de Baudelaire et de Verlaine, il récitait ses vers avec les trios gouailleurs des bals musettes et des cafés chantants. Voilà qui devrait résoudre le problème épineux de savoir qui inventa ce mariage. Je garantis que ce n'est pas moi. Comme je viens de le dire, cela débuta au début des années vingt.

Pourquoi ce mariage avec le jazz en particulier? En ce qui me concerne,

je ne fais pas de distinction entre le jazz et la musique «sérieuse». Le jazz est de la musique sérieuse : certains estiment même que le jazz est la seule musique américaine digne d'être prise au sérieux. Pas dans des lieux de perdition mais dans de bons clubs de jazz et en concert, la poésie gagne, grâce au jazz, un public extrêmement divers, des gens passionnés par la musique mais qui ne lisent généralement pas de poésie et que les conflits et les rituels du monde littéraire laissent indifférents.

Ce qui tue la poésie, c'est justement son public actuel, son public officiel. Bien sûr, s'il parvient à s'assurer les faveurs d'auditeurs populaires, le poète en sort gagnant. Naturellement, toute la poésie ne se prête pas nécessairement à ce genre de test, mais il pourrait y en avoir plus. Le jazz s'enrichit avec de nouveaux textes capables de l'égaler en sérieux, en profondeur et en complexité. Il existe du jazz «abstrait», comme l'est la musique de Bach, mais il consiste cependant surtout en musique «à thème», comme celle de Stravinski, et, de toute évidence, plus le thème est de qualité – tout bien considéré – plus le résultat est bon. Je mentionnerai en passant que le *Perséphone* de Stravinski ne diffère pas, quant à la forme, de ce que nous tentons de faire. L'association de la poésie et du jazz n'est pas un truc, un spectacle déjanté pour hippies sans chaussettes et traînées défoncées. Loin d'être nouveau, c'est aussi vieux que la musique et que la poésie et cela doit être traité, à la fois par les artistes et par le public, avec la dignité et le respect que ces anciennes expressions de l'humanité devraient toujours mériter.

Kenneth Rexroth,
« Jazz and Poetry », *Esquire*,
mai 1958, trad. I. Leymarie

Drogues

La drogue occupe une place non négligeable dans l'œuvre – et dans la vie – des écrivains beat. Jack Kerouac écrit sous l'influence de la benzédrine, une amphétamine. Allen Ginsberg fait l'expérience du LSD et d'autres psychotropes. L'héroïne et la morphine sont au cœur des ouvrages de William Burroughs. Et tous fument de la ganja *et boivent de grandes quantités d'alcool (ce qui finira par tuer Kerouac).*

Allen Ginsberg en 1965 : «l'herbe, c'est vraiment le pied».

Explorer la perception

Les associations que j'ai trouvées quand j'étais défoncé sont généralement évoquées ou construites au moyen d'une image qui renvoie aux autres poèmes écrits sous la drogue. Ou après la drogue – comme dans *Psaume magique* sur le LSD. Ou la mescaline. Il y a un long passage sur une mandala dans le poème sous LSD. Il y a une bonne situation parce que j'étais défoncé et je regardais une mandala – avant de «triper» j'avais demandé au docteur qui me fournissait à Stanford de me préparer une série de mandalas à regarder, d'en emprunter au professeur Spiegelberg qui était expert. Donc il y avait là des mandalas d'éléphants hindous. Je ne fais que les décrire dans le poème – à quoi elles ressemblaient pendant que j'étais défoncé.

Donc, pour me résumer, les drogues étaient utiles pour explorer la perception, la perception des sens, pour explorer diverses possibilités et divers modes de conscience, et pour explorer les divers types de *petites sensations*, utiles aussi pour composer, parfois, sous leur influence. La deuxième partie de *Howl* a été décrite sous l'influence du peyotl, composé pendant une vision provoquée par le peyotl. A San Francisco – *Moloch. Kaddish* a été écrit après des injections d'amphétamine avec un petit peu de morphine, plus un peu de dexedrine ensuite, pour me maintenir, parce que ça s'est passé en une seule longue séance. D'un samedi matin au dimanche soir. Les amphétamines donnent une coloration métaphysique particulière aux choses. Des projections. Mais ça n'apparaît pas trop parce que je n'y étais pas habitué, je n'en ai pris que ce week-end. Ça n'est pas trop entré en conflit avec la charge émotionnelle qui se dégage.

Question. Y avait-il un rapport avec ceci dans votre voyage en Asie?

Eh bien, l'expérience asiatique en quelque sorte m'a sorti du coin où je m'enfermais dans la drogue. C'était un coin inhumain dans le sens que je m'imaginais que j'élargissais ma conscience et qu'il fallait que j'aille jusqu'au bout, mais en même temps je me heurtais à ce serpent monstrueux et je me trouvais vraiment dans une situation terrible. Ça finissait par devenir tel que si je prenais de la drogue, je me mettais à vomir. Mais j'avais l'impression que j'étais contraint et forcé parce qu'il fallait élargir ma conscience, et cette vision des choses, et briser mon identité, et chercher un contact plus direct avec la sensation première, la nature, pour continuer.

Donc, quand je suis allé aux Indes, pendant tout le voyage vers les Indes, je débitais tout cela à tous les saints hommes que je pouvais rencontrer. Je voulais découvrir s'ils avaient des suggestions à me faire. Et tous en avaient, et toutes étaient bonnes.

Allen Ginsberg,
propos recueillis par Christine Tysh,
«Poètes d'Aujourd'hui»,
Seghers, 1974

Ecrire sous influence

Classer l'écriture produite sous l'influence de la drogue dans une catégorie spéciale est absurde. L'écriture est l'écriture, bonne, mauvaise, réussie ou ratée. J'ai beaucoup écrit sous l'influence du cannabis; plusieurs parties du *Festin nu* ont été écrites ainsi. J'ai souvent entendu dire que ce qui est écrit sous l'influence des drogues semble très valable à l'écrivain au moment où il le fait alors qu'à la lecture, lorsque les effets de la drogue ont disparu, c'est un non-sens prétentieux. La même chose est vraie de toute écriture. J'ai souvent écrit sans drogue un passage que je trouvais merveilleux, en le relisant le lendemain, à la poubelle! D'un autre côté, certains passages écrits sous l'influence du cannabis ont résisté à l'épreuve d'une lecture critique. Certains ont résisté, d'autres non. J'ai essayé d'écrire après avoir pris de la mescaline mais j'en ai été empêché par la nausée et par le manque de coordination physique. D'un autre côté, une fois les effets de la drogue disparus, j'étais capable de décrire les régions psychiques qui m'avaient été dévoilées par la drogue. L'amphétamine et la cocaïne sont absolument sans valeur pour l'écriture et il n'en reste rien de valable. Je n'ai jamais pu écrire une ligne sous l'influence de l'alcool. Sous l'emprise de la morphine, on peut rédiger, taper à la machine et organiser les matériaux d'une manière efficace, mais comme cette drogue diminue la conscience, le facteur de créativité est affaibli. *Junkie* est le seul de mes livres qui ait été écrit sous l'influence des opiacées. Les autres livres n'auraient jamais pu être écrits si à l'époque j'avais été intoxiqué par la morphine.

William Burroughs,
propos recueillis par Daniel Odier,
Pierre Belfond, 1969

Un mouvement engagé

La Beat Generation s'est trouvée – parfois malgré elle – engagée sur plusieurs fronts. Eprise de liberté sous toutes ses formes, provocatrice parfois, elle doit affronter la censure puritaine. Pacifiste, respectueuse de la vie, elle se trouve naturellement à la pointe du combat écologique.

Michael McClure (à droite) en 1968.

La censure

Je pense que toute censure, toute forme de censure devrait être abolie. Je ne crois pas que les livres soi-disant obscènes aient jamais inspiré à qui que ce soit de commettre un crime plus sérieux que la masturbation. Mais il y a une sorte d'écriture qui pousse les gens à commettre des crimes. C'est celle de la presse mondiale. «Robert Benjamin Smith, 18 ans, accusé du meurtre de quatre femmes et d'une jeune fille le 12 novembre à l'institut de beauté de Mera, a plaidé innocent mercredi pour cause de déficience mentale.» Smith a dit au sergent de police Ray Gomez «que les meurtres en série de Chicago et Austin (Texas) lui en avaient donné l'idée».

Cherchez dans vos morgues et voyez combien de fois le prisonnier a eu l'idée du crime en lisant les journaux. L'homme qui a tiré sur Rudi Dutschke en a eu l'idée après avoir lu l'assassinat du Docteur King. L'excuse pour censurer la fiction, c'est-à-dire qu'elle stimule les gens à commettre les crimes,

est absolument ridicule, étant donné les crimes commis chaque jour par les gens qui ont lu un cas semblable dans les journaux. La télévision est tout aussi mauvaise à cause de la juxtaposition de l'actualité et de la fiction qui donne à la fiction plus d'influence. Il y a eu quatre ou cinq cas récents de jeunes gens qui se sont pendus après avoir vu un western à la télévision. Ce n'est pas seulement la qualité visuelle, c'est un facteur additionnel des programmes d'actualité (quelque chose qui se passe réellement) et de la fiction que personne ne reconnaît comme telle.

William Burroughs,
propos recueillis par Daniel Odier,
Pierre Belfond, 1969

Condamnation de «Howl»

Pour son auteur, Allen Ginsberg, comme pour l'éditeur, Lawrence Ferlinghetti, la publication de Howl *fut le début d'une longue série de censures, d'arrestations et de procès.*

Le 19 mai, William Hogan, responsable de la section littéraire du *Chronicle* de San Francisco, me permit d'écrire dans ses colonnes du dimanche un article dans lequel je défendais *Howl* (j'y recommandais de décerner une médaille à l'inspecteur des douanes MacPhee, dont le zèle avait déjà rendu le livre célèbre, mais la police se chargea bientôt de cette campagne publicitaire et fit beaucoup mieux encore : lorsqu'elle eut terminé, dix mille exemplaires de *Howl* avaient été mis en vente !). Je déclarai, pour défendre *Howl*, que c'était «le long poème le plus important publié dans ce pays depuis la Seconde Guerre mondiale, peut-être depuis les *Four Quartets* de T. S. Eliot.» J'ajoutai à cela de nombreux «hélas !»,

justifiés par la poésie stérile et polie et les vers bien élevés qui avaient prédominé, depuis les dix dernières années environ, dans la plupart des publications consacrées à la poésie, sans parler de «l'incohérence à la mode» passant pour de la poésie et proposée par maintes petites revues et maisons d'édition d'avant-garde. *Howl* commet de multiples péchés poétiques, mais il était temps ! Il serait intéressant de voir si certains critiques seraient capables de mentionner un autre long poème publié aux Etats-Unis depuis la guerre qui soit aussi révélateur de son époque, de son pays et de sa génération. (Un journaliste d'*Atlantic Monthly* écrivit récemment que *Howl* pourrait bien devenir *The Wasteland* de la jeune génération). La partie centrale de mon article disait :
…Ce n'est pas le poète mais ce qu'il observe qui est jugé obscène.
Les gigantesques déchets obscènes de *Howl* sont les sinistres déchets de notre monde mécanisé, perdus parmi les bombes atomiques et les nationalismes insensés… Ginsberg choisit de cheminer sur ce bord fou du monde, en compagnie de Nelson Algree, Henry Miller, Kenneth Rexroth, Kenneth Patchen, sans mentionner certains illustres défunts Américains participant surtout de la tradition de l'anarchisme philosophique […].
Le 29 mai, à San Francisco, l'avocat représentant les Etats-Unis ayant refusé de procéder à une condamnation de *Howl*, les Douanes en restituèrent les exemplaires confisqués.
Le capitaine William Hanrahan, responsable du Juvenile Department (bien nommé en l'occurrence !), ayant déclaré que ce livre ne devait pas être mis entre les mains d'enfants, la police prit alors le relais et nous arrêta. Ainsi, la

première semaine de juin, je fus arrêté et conduit au palais de justice de San Francisco, où l'on prit mes empreintes digitales. La prison municipale en occupe les étages supérieurs. C'est tout à fait charmant et pittoresque, on se croirait revenu au Moyen Age.

En fait, cette visite forcée fut une épatante façon, pour la ville, de reconnaître officiellement l'essor de la poésie à San Francisco. Comme l'écrivit un journal : «Ici, les flics n'autorisent aucune Renaissance.»

Laurence Ferlinghetti,
«Horn on *Howl*»,
Evergreen Review nᵒ 4, 1957,
trad. I. Leymarie

Animisme

Michael McClure prêche surtout pour le respect de la nature et de toute créature vivante, si minuscule soit-elle.

Point Lobos : *Animism* a une sonorité tendue et ténue – pas vraiment différente du son d'un sonnet romantique. Son intention est personnelle et spécifique…

J'espérais donner une nouvelle forme au genre lyrique et permettre au sujet de créer à la fois le contour, le son et la musique. Je voulais exprimer mes sensations de faim, de vide, d'épiphanie; l'intensité d'une joie démoniaque éprouvée dans un lieu d'une incroyable beauté situé sur la côte nord de la Californie. Je désirais partager la ferveur animiste qui me saisit, montrer à quel point la moindre chose (souffle, tache, rocher, frissonnement de l'eau, nuage, pierre) vivait et palpitait. C'était une prise de conscience effrayante et joyeuse venue du tréfonds de mon âme. J'emploie l'expression «tréfonds de mon âme» parce que je ne souhaitais pas communiquer intellectuellement mais viscéralement avec la Nature : avec mon ventre. La langue allemande a deux mots : *Geist*, pour l'âme de l'homme, et *Odem*, pour l'esprit des bêtes. *Odem* correspond au tréfonds de l'âme. J'en devint profondément conscient.

J'étais aussi intéressé par les aspects subtils de la Nature – un peu comme dans les toiles de Chagall – qui font partie de la vie urbaine. Même dans un appartement on peut avoir des pensées tribales, des pensées humaines, des pensées de mammifères – ou des pensées de Nature, magnifiques et douces, qui parlent d'unité, de monisme, de nature. Ernst Haeckel et Alfred North Whitehead étaient persuadés que l'univers n'est en fait qu'un seul et même organisme, qu'il est vivant et que son existence en constitue le caractère sacré, la respiration. Si tout est divin et vivant et fait partie du Bloc Non Taillé des taoïstes, ce tout et n'importe laquelle de ses parties est splendide (ou éventuellement hideux) et précieux. De façon incommensurable. Il est impossible d'affirmer qu'un virus est moins spécial ou moins divin qu'un loup, un papillon ou un bouton de rose; qu'une étoile ou qu'un groupe de galaxies est plus important, plus significatif qu'un minuscule rongeur ou un bout de bois. Cette perception de l'univers demeure toujours en nous.

Dans les villes, la nature peut être aussi splendide qu'une œuvre de Klee ou de Chagall, et parfois sans les limites de la proportion. J'ai récité le poème suivant à la Six Gallery :

Les mondes de la nuit : ravissement

Qu'ils sont beaux les objets dans une
　　belle pièce
La nuit
Sans proportions
Un chat noir aux poils longs avec un
　　visage humain sensible
Une robe de chambre blanche suspendue
　　au mur
Doux fantôme
Sans proportions
Des chansons dans la tête
La pièce est calme et immobile
Immobilité gris-bleu
Sans proportions
Les plantes sont vivantes
Offrant leur oxygène

Le massacre des baleines

Le massacre des baleines fut le genre
de meurtre que j'aurais seul cru
Goya capable de représenter,
comme dans ses *Horreurs de la guerre*.
J'ai invoqué D. H. Lawrence à la fin
pour qu'il soit la figure tutélaire
de ce poème; en raison de son
évocation de la copulation
des baleines avec des anges volant
d'un corps à l'autre durant ces amours
démesurées.
Et par-dessus l'arête du puissant phallus
　　de la baleine, réunissant les
　　magnifiques baleines
les archanges brûlants passent et
　　repassent sous la mer,
passent et repassent, archanges de la
　　félicité
de lui à elle et d'elle à lui, merveilleux
　　chérubin
assistant les baleines au milieu de l'océan,
　　en suspens dans les vagues de la mer
merveilleux paradis des baleines dans les
　　flots, anciennes hiérarchies
　　　[extrait de *Baleines, ne pleurez pas*]

Des années plus tard, lors de
la Conférence sur l'environnement
des Nations Unies à Stockholm,
en 1972, Gary Snyder et moi fîmes
partie du groupe de délégués
indépendants (sous la direction
de Project Jonah et Stewart Brand)
qui prirent l'initiative de représenter
les baleines, les Indiens et la diversité
de l'environnement. A Stockholm,
nous participâmes à des manifestations
en faveur des baleines et immédiatement
après la conférence, je regagnai
San Francisco où j'organisai, là aussi,
une manifestation en faveur de
ces cétacés. A la conférence
de Stockholm, Snyder écrivit et
distribua un poème intitulé *Notre Mère
la terre : ses baleines*, dont je cite un
extrait :

«Amérique du Nord, Ile-Tortue,
　　conquise par les envahisseurs
　　qui étendent la guerre au monde
　　entier.
Puissent les fourmis, les mollusques,
　　les loutres, les loups et les élans!
Se révolter! et couper les vivres
　　aux nations robots.
　　Solidarité. Le Peuple.
　　Peuple des Arbres Dressés!
　　Peuple des Oiseaux Volants!
　　Peuple des Nageurs de la Mer!
　　Peuple à Quatre pattes,
　　à Deux pattes»
　　　　　　[poème de Gary Snyder,
　　　　　　extrait de *L'Arrière-Pays*
　　　　suivi de *Amérique Ile-Tortue*,
　　　　　　P. J. Oswald, Paris 1977,
　　　　　　trad. B. Matthieussent]

　　　　　　　　Michael McClure,
　　　　　Scratching the Beat Surface,
　　　　　　　　North Point Press,
　　　　　　　San Francisco, 1982,
　　　　　　　　　trad. I. Leymarie

BIBLIOGRAPHIE

William S. Burroughs

– *Les Cités de la nuit écarlate*, Bourgois, Paris, 1981.
– *Essais*, vol. 1 et 2, Bourgois, Paris, 1996.
– *Le Festin nu*, Gallimard, Paris, 1984.
– *Interzone*, Bourgois, Paris, 1991.
– *Junkie*, Bourgois, Paris, 1988.
– *Le ticket qui explosa*, 10/18, Paris, 1972.
– *Lettres du Yage*, L'Herne, Paris, 1970.
– *La Machine molle*, 10/18, Paris, 1985.
– *Nova Express*, Bourgois, Paris, 1981.
– *L'Œuvre croisée*, avec Brion Gysin, Flammarion, Paris, 1976.
– *Parages des voies mortes*, Bourgois, Paris, 1987.
– *Queer*, Bourgois, Paris, 1995.
– *Les Terres occidentales*, Bourgois, Paris, 1994.

Allen Ginsberg

– *Allen Ginsberg Photograph*, Twelvetrees Press, California, 1990.
– *La Chute de l'Amérique*, Flammarion, Paris, 1979.
– *Cosmopolitan Greetings*, Bourgois, Paris, 1996.
– *Howl et autres poèmes*, Bourgois, Paris, 1993.
– *Journal, 1952-1962*, Bourgois, Paris, 1996.
– *Journaux indiens*, Bourgois, Paris, 1997.
– *Kaddish*, Bourgois, Paris, 1993.
– *Linceul blanc*, Bourgois, Paris, 1994.
– *Planet News*, Bourgois, Paris, 1971.
– *Reality Sandwiches*, Bourgois, Paris, 1972.
– *Souffles d'esprit*, Bourgois, Paris, 1994.

Jack Kerouac

– *Les Anges vagabonds*, Gallimard, Paris, 1973.
– *Avant la route* (*The Town and the City*), La Table Ronde, Paris, 1990.
– *Big Sur*, Gallimard, Paris, 1966.
– *Les Clochards célestes*, Gallimard, Paris, 1963.
– *Docteur Sax*, Gallimard, Paris, 1962.
– *L'Écrit de l'éternité d'or*, La Différence, Paris, 1979.
– *Le Livre des rêves*, Flammarion, Paris, 1977.
– *Maggie Cassidy*, Stock, Paris, 1984.
– *Mexico City Blues*, Bourgois, Paris, 1995.
– *Satori à Paris*, Gallimard, Paris, 1971.
– *Les Souterrains*, Gallimard, Paris, 1964.

– *Sur la route*, Gallimard, Paris, 1960.
– *Le Vagabond solitaire*, Gallimard, Paris, 1969.
– *Vanité de Duluoz*, Bourgois, Paris, 1996.
– *Visions de Cody*, Bourgois, Paris, 1990.
– *Visions de Gérard*, Gallimard, Paris, 1972.

Ecrivains et poètes de la Beat Generation

– Cassady, Neal, *Fils de clochard* (*The First Third*), L'Harmattan, Paris, 1977.
– Corso, Gregory, *Bomb*, City Lights Books, San Francisco, 1958.
– Corso, Gregory, *Sentiments élégiaques américains*, Bourgois, Paris, 1996.
– Di Prima, Diane, *This Kind of Bird Flies Backward*, Totem Press, New York, 1958.
– Di Prima, Diane, *Dinners and Nightmares*, Corinth Books, New York, 1961.
– Dylan, Bob, *Tarantula*, 10/18, Paris, 1993.
– Ferlinghetti, Lawrence, *Pictures of the Gone World*, City Lights Books, San Francisco, 1955.
– Ferlinghetti, Lawrence, *A Coney Island of the Mind*, New Directions Publishing Corporation, New York, 1958.
– Ferlinghetti, Lawrence, *Un regard sur le monde, poèmes choisis*, Bourgois, Paris, 1970.
– Ferlinghetti, Lawrence, *Tyrannus Nix*, L'Harmattan, Paris, 1977.
– Ferlinghetti, Lawrence, *Œil ouvert, cœur ouvert*, Bourgois, Paris, 1977.
– Gysin, Brion, avec William S. Burroughs, *Minutes to Go*, Two Cities Edition, Paris, 1960.
– Gysin, Brion, *Légendes de Brion Gysin*, Gris Banal, Paris, 1983.
– Holmes, John Clellon, *Go*, Thunder's Mouth Press, New York, 1952.
– Jones, LeRoi, *Preface to a Twenty Volume Suicide Note*, Totem Press, New York, 1961.
– Kaufman, Bob, *Abomunist Manifesto*, City Lights Books, San Francisco, 1959.
– Kaufman, Bob, *Sardine dorée* suivi de *Solitudes*, Bourgois, Paris, 1997.
– McClure, Michael, *Dark Brown*, Auerhahn Press, Londres, 1961.
– McClure, Michael, *Ciels de Jaguar*, Bourgois, Paris, 1978.
– Sanders, Ed, *Les Tessons de Dieu*, Bourgois, Paris, 1972.
– Snyder, Gary, *L'Arrière-pays, Amérique : île-tortue*, P. J. Oswald, Paris, 1977.

Ouvrages ou articles
sur la Beat Generation

– Beaulieu, Victor, *Jack Kerouac*, L'Herne, Paris, 1993.
– Cassady, Carolyn, *Off the Road: My Years with Cassady, Kerouac and Ginsberg*, Penguin, New York, 1990.
– Chapman, Harold, *Le Beat Hotel*, Gris Banal, Paris, 1993.
– Charters, Ann, *Kerouac le vagabond*, Gallimard, Paris, 1975.
– Gifford, Barry et Lee Lawrence, *Les Vies parallèles de Jack Kerouac*, Rivages, Paris, 1993.
– Holmes, John Clellon, «This is the Beat Generation», *New York Times Magazine*, New York, 16/11/1952.
– Johnson, Joyce, *Personnages secondaires*, Sylvie Messinger, Paris, 1984.
– Jones, LeRoi, *The Moderns: an Anthology of New Writing in America*, Corinth Books, New York, 1963.
– Kerouac, Jack, «Essentials of Spontaneous Prose», *Evergreen Review*, New York, été 1958.

– Lebel, Jean-Jacques, avec Claude Pélieu et Mary Beach, *Anthologie de la Beat Generation*, Denoël, Paris, 1966.
– Le Pellec, Yves, *Entretiens sur la Beat Generation*, Subervie, Paris, 1975.
– McClure, Michael, *Scratching the Beat Surface*, North Point Press, San Francisco, 1982.
– Meltzer, David, *The San Francisco Poets*, Ballantine Books, New York, 1971.
– Nicosia, Gerald, *Memory Babe: a Critical Biography of Jack Kerouac*, Grove Press, New York, 1983.
– Odier, Daniel, *Entretiens avec William Burroughs*, Pierre Belfond, Paris, 1969.
– Philipps, Lisa, *Beat Culture and the New America*, Whitney Museum of American Art & Flammarion, Paris-New York, 1995.
– Pivano, Fernanda, *Beat, Hippie, Yippie*, Bourgois, Paris, 1997.
– Sanders, Ed, *Tales of Beatnik Glory*, Stonehill Publishing Company, New York, 1975.
– Turner, Steve, *Angelheaded Hipster*, Bloomsbury, Londres, 1996.
– Tytell, John, *The Living Theatre: Art, Exile and Outrage*, Grove Press, New York, 1995.

FILMOGRAPHIE

– Brakhage, Stan, *Anticipation of the Nigh*, 1958.
– Byrum, John, *Heart Beat*, 1980.
– Cassavetes, John, *Shadows*, 1959.
– Clarke, Shirley, *The Connection*, 1961.
– Conner, Bruce, *A Movie*, 1958.
– Cronenberg, David, *Naked Lunch*, 1991.

– Frank, Robert, *Pull my Daisy*, 1959.
– Frank, Robert, *Me and my Brother*, 1968.
– MacDougall, Ronald, *The Subterraneans*, 1960.
– Mekas, Jonas, *Guns of the Trees*, 1962.
– Mekas, Jonas, *Lost Lost Lost*, 1963.
– Smith, Jack, *Flaming Creatures*, 1963.

DISCOGRAPHIE

Sélection de disques

– *The Jack Kerouac Collection*, Rhino Records, Californie, 1990.
– *Allen Ginsberg: Holy Soul Jelly Roll, Poems and Songs, 1949-1993*, Rhino Records, Californie, 1994.
– The Fugs, *Virgin Fugs*, ESP, New York, 1966.
– The Fugs, *The East Village Other Electric Newspaper*, ESP, New York, 1966.

Participations de William Burroughs,

– Anderson, Laurie, *United States Live*, Warner, New York, 1984.
– Cobain, Kurt, *The Priest They Call Him*, BMG, 1992.
– Material, *Seven Souls*, Virgin, Londres, 1989.
– Ministry, *Quinx*, Warner, 1993.
– Orridge, Genesis P., *Nothing here now but the recordings*, Industrial Records, Londres, 1979.

TABLE DES ILLUSTRATIONS